地方で稼ぐ！

IT
エンジニア
のすすめ

村岡佑紀
MURAOKA YUKI

幻冬舎MC

はじめに

将来やりたい仕事は決まってないけど、なんとなくかっこいい仕事に憧れていて、できれば年収も高いほうがいい。

スーツでバチッとキメてクライアントと商談したり、ライバルとプレゼンで競ったり、仲間たちとランチミーティングしたりなんてかっこよさそう。でも、これから勉強して、資格を取って、就活してというのは無理っぽい。そもそも勉強嫌いだし。

それに、地元から離れたくない。休みの日は仲のよい友達と遊びたいし、家族も近くにいれば安心する。でも、地元にいい仕事ってあんまりない。適当に就職したとしてもずっと続けていく自信もないし、そもそも就職できるのかな……。

あれ？　もしかして自分の将来って結構ヤバい？

この本のタイトルと帯を見て手に取った人は、少なからず自分の将来について悩んでいたり、不安があったりするのだと思います。

僕も若い頃はそうでした。

僕の出身は青森県の十和田市で、市内に鉄道駅がゼロという超田舎です。普通高校は2校だけで、あとは農業高校と工業高校が1校ずつしかありません。僕は別にはっきりした目標があったわけではなく、なんとなく工業高校を選びました。

勉強は好きじゃなくて、成績は後ろから数えたほうがずっと早いくらいでした。皆さんの勇気が出るように恥を忍んでいいますが、僕は中学時代、240人中220番という成績だったこともあります。工業高校でもいつも真ん中くらい。大学に行くつもりもなくて、友達と組んだバンドでデビューする夢はあったけど、きっと卒業したら就職するんだよな、でもやりたい仕事なんてないな、とぼんやり思っていました。

地方で、工業高校卒で、成績も真ん中から後ろのほうで、特に資格ももっていない人間が就職するとしたら、いわゆる作業着でする仕事がほとんどですが、僕にはしっくりこなくて、バンドデビューの夢が捨てきれないまま上京して音楽活動を続け、〝保険〟のために情報系の専門学校に通っていました。

そこで僕は運命の出会いを果たします。それはＩＴエンジニアです。

「ＩＴエンジニア？　そんなの無理無理！」

と思うかもしれません。でも、大丈夫。

ＩＴエンジニアは学歴、理系の知識、専門スキル、全部なくてもなれます。もちろん仕事をするうえで取っておいたほうがいい資格もありますが、仕事をしながら覚えていけばいいので、知識ゼロでもＯＫ。それに、何よりも魅力的なのは年収が高いことです。20～65歳の正社員の平均年収は４０３万円ですが、ＩＴエンジニアの平均年収は４３８万円で、30万円以上も高いんです。また、30代のＩＴエンジニアの平均年収は５０２万円で、これは30代全体の平均年収を60万円以上も上回っています（ＤＯＤＡの平均年収ランキング２０２１）。今はキャリアアップ制度も導入されていて、頑張れば頑張るほど年収は高くなっていくんです。

ＩＴエンジニアは、誰もが想像するような、一日中パソコンに向かってひたすらコードを書く仕事だけではありません。プログラミングをしないＩＴエンジニアはいくらでもいます。

仕事の内容によって求められるスキルや能力もまったく違っていて、僕の会社にも文系出身でバリバリ活躍している人もたくさんいます。だから、最初から向いてないとか、この能力がないからダメとか、そういうことはまったくないんです。

しかも、都会に出なきゃできないということもありません。むしろ、ＩＴエンジニアを今最も必要としているのは地方です。

例えば手作業で1時間かかることが、ＩＴを導入すれば5分で終わるなんてこともざらにあるのですが、行政でも、民間の企業でも商店でも、地方にはＩＴ化できていないところがまだまだたくさんあります。だから、ＩＴエンジニアは地方でもできるどころか、地方でこそやらなければならない仕事だと僕は思っています。

この本では、ＩＴエンジニアとはどんな存在なのか、まずは皆さんに知ってもらいたくて、エンジニアの種類や必要とされるスキルについて分かりやすくまとめました。これなら自分にもできそうだというものがきっとあります。さまざまなＩＴエンジニアの仕事も具体的に紹介していますから、そのやりがいや面白さをぜひ実感してください。そして、すでに地方でＩＴエンジニアになった先輩たちがどんなふうに活躍しているのかも紹介します。

この本を通してＩＴエンジニアの魅力を知り、皆さんが将来の不安から脱出して、明るい未来への一歩を踏み出していただけたらうれしく思います。

地方で稼ぐ！　ＩＴエンジニアのすすめ　目次

［第3章］　ＩＴエンジニアの仕事を大解剖！
入社後に求められるスキルとキャリアパス

［第1章］

勉強嫌い・やりたい仕事なし・専門スキルゼロ……もしかして僕に未来はない？

高校だけは行っておけと言われて進学

僕の中学、高校時代はビジュアル系ロックバンドの全盛期です。

中学時代に友達に声を掛けてバンドを組みました。自分で言うのもなんですが、結構いけてるグループでした。僕はベースでほかにドラムとギターが2人、それからボーカルがいてこのボーカルがうまかったんです。アマチュアバンドはなかなかうまいやつがいないからだいたいボーカルで苦労するのですが、僕たちのバンドは恵まれていました。それにギターの1人が作詞作曲をしていたので、オリジナル曲もたくさんもっていたんです。

中学卒業後はメンバーの進学先がバラバラになってしまったけれど、放課後に誰かの家に集まっては練習をしていました。

僕はとにかく勉強が嫌いで、実は中学を出るときも高校に行くつもりはありませんでした。地元で日雇いの力仕事でも何でもいいから、働きながらバンドの練習をしてプロになりたいと思っていました。

でも親に猛烈に反対されてとにかく高校は卒業しろと諭され、それで工業高校に進みました。だから別に工業高校でやりたいことがあったというわけではありません。正直なところ、僕の成績では普通高校には入れなかったんです。でも親からは私立ではなく公立に行けと言われていたから、当時僕でも入れる公立高校ということで消去法で決まった進学先でした。

その工業高校には電気科、電子科、建築科、機械科という4つの選択肢がありました。僕が進んだのは機械科です。実はこれも消去法で、当時一番偏差値の低い機械科には成績が悪くても入学できました。

そうやって進んだ高校ですから勉強が楽しいと思ったことはありません。設計の授業でＣＡＤ（Computer Aided Design）を使ったり、小さなロボットのようなものを組み立てたりするのは面白かったけれどそれくらいです。僕の青春はもっぱらバンド活動で、毎日真剣に練習を重ねたおかげで腕も上がっていたと思います。地元のライブハウスにはよく出ていたし、音楽イベントにも参加していました。地方紙だけど新聞に写真が載ったこともあるんです。自分たちのＣＤを作って配ったりもしていて、この頃はバンド全員がいずれはプロデビューするつもりでした。

バンドデビューの夢を見ながら上京

高校3年の夏頃になると、進学や就職でまわりがざわついてきます。

当時の工業高校卒業生の進路というと大学や短大、専門学校に進む人が3割くらい、残りの7割は就職しました。そして就職する人の4割が県外で残り6割が県内です。県内就職率の全国平均は8割くらいですから、青森県は県外に出てしまう高卒者が飛び抜けて多いんです。これは今も変わっていなくて、全国47都道府県中で青森県はだいたい45位前後です。つまりそれくらい県内に就職先がほとんどないんです。

僕が高校を卒業した2003年の青森県の有効求人倍率（求職者1人に対して何人の求人があるかという数字）は、0・3くらいでした。つまり10人が職を求めているのに求人は3人分しかないわけです。高校の新規卒業者に対する求人に限ればもう少し多いかもしれませんがとにかく低く、これでは東京に出て行かざるを得ません。

当時の地元の就職先というと、大手電子機器メーカーの工場や大手製パン工場、あとは地元の建設会社とか自動車整備工場、電気工事会社などでした。そのほかは流通や小売業、サービス業などの社員や公務員になる人が数人くらいいました。

僕がいた工業高校は企業には比較的人気があったみたいで、県の内外からそれなりに求人がありました。同級生はどんどん就職を決めていったけれど、僕は就職の決断をしかねていてグズグズしていたんです。理由はバンドで、あわよくばプロデビューをと考えていたからそのためには東京に出なくちゃダメだと思っていました。バンド仲間とも話して、とにかく今は就職しないで、東京に出てプロになる道を探ろうということに決めたんです。今振り返れば世間知らずというか若気の至りというか、かわいいもんです。

ただしほかのバンドメンバーがどうだったかは分からないけれど、僕は心の片隅で、そう簡単にプロになれてそれだけで生活していけるはずはないと思っていて、とにかく2年間、20歳になるまで東京で音楽活動を頑張ろう、それで芽が出なければきっぱり諦めようと思っていました。

バンドがダメになったそのときにやめたはいいけれど何もできることがないというのはマズイので、上京する機会にとりあえず専門学校に行くことにしたんです。これなら東京に行く理由として親にも言いやすいというのもありました。「あと2年だけわがままをさせてください」と親を口説いて、東京の事務系の情報処理専門学校に2年間、一人暮らしをしながら通うことにしました。バンドの道を探りつつ、多少仕事に役立ちそうなスキルも身につけておこうというわけです。

ところがこの人生の計画において、バンド活動についてはいきなり壁にぶつかってしまいました。作詞作曲をしていたギターのメンバーが土壇場で「僕は地元に残る、東京には行かない」と言い出したからです。「えっ、行かないの？　今さらそれはないでしょ。行こうよ」と説得したけれど、本人の気持ちが固くて翻意させることはできませんでした。

結局東京に出たのは僕を入れて3人でした。練習は続けましたし、専門学校の休みには地元に戻って元のフルメンバーで演奏もしたけれど、プロデビューの夢は僕だけではなくメンバー全員の気持ちのなかでどんどん小さくなっていきました。なんとなくみんなもう無理だなと1年目の終わりには実感し始めていたのだと思います。

やりたいことは別になかった

東京に出て2年目を迎える頃はバンドの練習もしなくなって、もう音楽の道はないとはっきり思っていました。2年だけと自分で決めていたこともあり、音楽に未練はありませんでした。

とにかく就職を考えなければなりません。でも高校を出るときと同じでやりたいことが特にありません。専門学校ではオフィス系のワードやエクセル、パワーポイント、データベースソフトのアクセス、電子メールのアウトルックを使った会社事務の進め方や簿記を習っていました。マイクロソフト オフィス スペシャリストの資格も一応取りましたし、パソコンを使って業務処理の仕組みをつくったりするのは面白いと感じましたが、でもこれって会社事務が効率よくできるというだけのことなので、別にやりたいことが見えてきたというものでもありません。高校卒業のときは音楽の道という夢もあって、とりあえず2年間はやることがあったから何も決断しなくてよかったのですが、今度こそ決めなければなりません。もう猶予期間は終わりでした。

専門学校2年目の秋、夏休みをいつものように地元でたっぷり遊んで東京に戻ると、校舎の廊下の壁には、誰がどこに就職を決めたかずらりと貼り出されていました。「えっ、みんなどんどん決まっているんだ」と僕は少し焦りました。そのリストは日を追って増えていって、比例してこちらの不安もどんどん上昇していきます。これ以上親の脛《すね》はかじれないから働かなくてはなりません。でも地元に帰ってもこれという仕事はないし、東京でしたい仕事も見つかっていません。いや、仕事どころかそもそも自分の人生をこれからどうするのか……20歳の僕は何も決めることができないでいたんです。

目指したのは社長になること

そのとき僕が唯一考えていたことがあったとすれば、30歳までに会社をつくって社長になって、ランボルギーニをかっ飛ばしたいというバンドのプロデビューよりもっと子どもっぽい妄想でした。社長といっても、どんな事業をしたいかということは特に考えていません。社長ならなんでもよかったんです。

当時は、ＩＴのアの字も、エンジニアのエの字も僕のなかにはありません。中学、高校とロックバンドのことしか頭になかった人間の頭のなかなんて、そんなものかもしれないと思います。まだ世の中にどんな仕事があるのかも知らないし、自分の仕事はこれだとか、人生はこのためにあるなんていう目標を決められるわけがないんです。

その後の僕がどうなったのかというと、専門学校ですから企業側から結構求人があり、秋から冬にかけて学校で2年生向けの企業合同説明会のようなものも開かれていたので、とりあえず僕も行ってみようかと思って会場の大教室に行きました。しかし学生はみんな入り口で固まって入っていこうとしないんです。企業が待ち構えているから気後れしてしまっていたのかもしれません。僕はそういうはっきりしない態度は好きじゃないので、さっさと中に入ってブースを回っていきました。

そこで目にとまったのが、ＩＴ系の技術者派遣をしている企業でした。ついに僕がＩＴ企業に出会った瞬間です。なぜ関心をもったかというと、その会社は有望な事業はどんどん独立させて、グループを大きくしていこうという方針を掲げていたからなんです。実際、グループ内にいくつもの会社をもっていました。「おお、ここなら社長になれるかもしれない」と思ったわけです。とにかく僕の目標は社長になることですから、その可能性があるのは魅力でした。大手企業に入ってしまったら社長は絶対無理だし、中小企業で社長になって中途半端にやめるのはいろいろと気持ちの負担もありそうです。しかし会社が最初から起業応援というスタンスをもっているなら堂々と独立できる、この会社がいいと思いました。

いくつか質問してみると、社員の働き方としてはその会社が業務委託契約を結んだクライアント企業に、エンジニアとして技術支援に行くということでした。そのときの僕にエンジニアといえるようなスキルは何もありませんでしたが研修もやってくれるというので、じゃあ大丈夫かなと思いました。

ブースで説明を受けていると「今、会社でも説明会をやっているから参加してみる？」と誘われたので二つ返事で行ってみることにしました。会社ではすぐ応接間に通されて、待っていると僕と同じような年格好の学生があとから何人か入ってきて、さらにしばらくすると会社の人が顔を出して「じゃ、ここにいる人はみんな内定だから」と言われました。

あれ、就職ってこんなに簡単に決まるの？と多少拍子抜けしましたが、まあ良かったと思いました。これでとにかく自立できるし、あわよくば社長にという道の第一歩がいよいよ始まったわけです。

というわけで僕は一応工業高校出身だから「理系」なのかもしれませんが、実際には理系といえるような知識は何もなく、もちろん、「エンジニア」と呼べるようなスキルは皆無のまま、「ＩＴエンジニア派遣」の会社の社員になったわけです。「社長になりたい！」それだけでした。

1カ月で派遣先から戻される

だんだん分かってきたんですが、入社した会社はアプリケーション開発といったエンドユーザーに近い業務ではなく、ＩＴの基盤としてサーバーを構築したり、それをネットワークにつなぐといったいわゆるＩＴインフラまわりと呼ばれるものを得意とする会社でした。ＩＴシステムを支える縁の下の力持ち、みたいな存在です。

しばらく研修期間があり、僕もＩＴインフラを中心に学んでいきました。研修中でも顧客先に派遣されていく新入社員もいました。僕が最初に派遣されたのは入社して1カ月か2カ月くらい経った頃だったと思います。同期入社の2人と一緒に、大手ＩＴ企業で業務に就くことになりました。でも、なんと1カ月と経たずに帰されてしまいました。クビです。役に立たないというわけです。

僕はバンド時代から派手なヘアスタイルで、就職後も会社から何も言われないのをいいことに、そのまま金髪にしたりパーマをかけたり好きなようにしていました。一緒に行ったメンバーとは派遣先での席も近く、仕事そっちのけでキャッキャしていましたから、これではお払い箱になってもしょうがなかったと思います。会社に戻ってひどく怒られました。

次の現場も大手のＩＴ企業でした。ここには４人で行って、派遣先の社員と合計で10人くらいのチームを作りました。新しく編成された組織でＰＣの組み立てから、サーバーの設定やネットワーク構築といったＩＴインフラ関係についての何でも屋です。

最初はやはり「おまえら真面目にやれ」と怒られました。僕は前の日にツイストパーマをかけたばかりで、受け入れた企業もまず外見でとんでもないのが来たと思ったはずです。しかも仕事はできないし不真面目だし、チーム内の社員からは5分おきくらいに「おい、できたか？」「何やってんだ、早くやれ」といびられました。「そんなすぐにできるわけがないでしょ」とこっちも負けていません。

仕事ははかどらずチーム内の空気も悪く、管理するリーダーにとっては最悪だったと思います。でも、前の派遣先のように帰されることはありませんでした。リーダーが僕たちを見放すことなく鍛え直してくれたんです。何度も説教されたけれど、僕たちをいびっていた社員にもそういうことはやめろと言い聞かせて僕たちを守ってくれました。終業後に「おい、ちょっと付き合え」と居酒屋に連れ出されることもたびたびありました。一緒にお酒を飲みながら「おまえは頭が悪いんだし、まだ何もできないんだから、必死にやるしかないんだぞ」と言い聞かせてくれ、仕事をするということはどういうことか、社会人としてどういう振る舞いが必要なのかといったことを、朝まで飲みながら一つひとつ教えてくれたんです。なぜ僕のようないい加減な人間にそんなに親身になってくれたのか理由は分かりません。でも本当に感謝しています。このときの学びがなかったら、それからの自分はなかったと思います。いびってきた社員と喧嘩して、また戻されていたに違いありません。

この2社目の派遣は、リーダーのおかげもあって1年続きました。戻ってきた僕を見て会社は人が変わったと驚いたようです。仕事にちゃんと向き合う真面目人間になっていました。

その後3社目となる大手ＩＴ企業への派遣でも、僕はまた立派なリーダーに出会うことができました。社内でも優秀なリーダーとして知られた人だったようです。「その件は、顧客には私が言っておくから先行していい」とか「まだその先には進むな」といった判断と指示が適切で、その人の下にいてとても仕事が進めやすかったことを覚えています。「かっこいいな」というのが僕の印象です。本人はいっさい具体的な実務はしないのですが、とにかくチームをしっかり掌握してプロジェクトを進めていました。チーム管理の仕方や業務効率化の手法、トラブルへの対処手法なども間近に見て学ぶことがたくさんありました。

チームをまとめる面白さに目覚める

大手企業に派遣されて業務を担うという経験を重ねるなかで、僕はITインフラに関する知識や技術を少しずつ身につけていきました。でも一番学んだのは、プロジェクトを円滑に進めるためにどういうことが必要になるのかという、プロジェクトマネジメントに関することで、それが非常に面白かったんです。僕自身が専門分野の知識をもっていたわけではないし、個別の領域に特に興味をもっていなかったということもありますが、僕はITの世界でリーダーとしてチームをまとめたり、プロジェクトを管理して円滑な進行をマネジメントするような仕事にどんどん興味をもつようになっていきました。

僕が入社した会社は、衛星企業として当時新たに設立した会社で、業務内容はＩＴインフラを中心とするエンジニアの派遣です。その会社は社長が25歳、専務取締役が24歳でした。年齢に関係なくどんどん新しい衛星企業を起業させるという入社時に聞いていた方針は嘘じゃなかったんだなと思い、いずれは本当に自分も起業できそうだと実感することができました。

僕は当時「次の現場からは、ひとりのエンジニアとしてではなくチームのまとめ役という任務で出してほしい」と社長に伝えました。それ以外の、自分がチームの一員として手を下さなければならないようなところには行きたくないと宣言したんです。図々しい社員でしたけど、その頃はとにかくマネジメントを勉強したいと思っていました。そういったこともあって、自社内では社員のまとめ役を任されました。全部で80人くらいのエンジニアがいたのですが、それを2チームに分け、一方のリーダーになりました。その40人が問題なく働けるように、例えば長期間に及んだ派遣先から戻ったときに必要な事項を伝えたり、問題を抱えている社員について社長に報告しながらサポートしたりといったことです。

また、派遣先でもチームの管理者として同行しお客さまとの業務打ち合わせなどに臨みました。作業管理表を工夫して、業務の進捗状況がよく見えるようにしたり、予定どおり進んでいないときにどこにどういう問題があるのかをいち早く見つけて、解決を図るといったマネジメントに特化しながらキャリアを積みました。

最初の頃は派遣先も、実務に加わらずマネジメントに特化した僕の存在を不思議に思ったり、人によっては無駄に感じていたようですが、業務の進行を通してマネジメントの意味を理解してくれ、僕が作った管理表を使わせてほしいと頼まれるということもありました。専門学校のときにエクセルを勉強したのが少し役に立ったわけです。その管理表はしばらくの間「村岡ファイル」という名前で呼ばれて使う人も多かったです。チーム管理が価値ある仕事として認められるようになっていきました。

他方で僕は、技術系エンジニアとしての派遣の話が来たときは、宣言したとおりきっぱり断っていました。もちろんＩＴエンジニアとして、ある領域のスペシャリストになるという道はあったと思いますが、そもそも勉強が好きじゃないから技術のスペシャリストは向いていないと分かっていたんです。

目標どおり30歳を前に社長に

入った会社でチームリーダーやチームマネジメントという業務に出会い、それに特化した形で派遣先で経験を積んでいきました。やればやるほどチーム管理の仕事の奥の深さも分かるようになりました。間もなく入社から9年目となる2014年、僕が管理したチームで交流を深めた7人のメンバーに声を掛けて、29歳のときに起業して社長になりました。たまたまですが30歳まで社長に、と考えていたとおりになりました。

高校までのバンド仲間にしてみれば「まさかおまえが社長とはね」という印象だったと思います。実際そう言われました。僕の中学時代、高校時代を知る地元の人間はみんなそう感じたに違いありません。

確かに親の七光りがあったわけではなく、経営を学んだこともなく、すごいスポンサーが付いたのでもありません。僕個人に人を惹き付ける魅力やカリスマ性があったのでもなく、高度な技術やスキルもないんです。自慢じゃないけれど、そういうものは何一つありませんでした。

じゃあ、どうして僕が社長になれたのか。

それはＩＴ業界だからだと思います。ＩＴ業界というまだ若く、今までの常識に縛られていない業界であり、そこに価値を見いだす人が集まっているから、僕が社長になれたんです。金融業界とか建設業界、食品業界、旅行業界、自動車業界……世の中にはたくさんの業界があります。でも、ＩＴ業界というのは、これらの業界と同列に扱われる存在ではありません。

「フィンテック」という言葉を耳にしたことのある人は多いと思います。金融（Finance）と技術（Technology）を組み合わせた造語で、金融サービスと情報技術を結びつけて今までにない新たな価値を提供する動きのことです。例えば手元のスマートフォンで支払いが済んだり、といったことが代表例です。こういった企業は金融業界に属するのかそれとも通信業界に属するのか、分けることはできません。同じように、アグリテック（農業）、メドテック（医療）、不動産テック（不動産）、フードテック（食品）なども業界を横断するもので従来の業界の区別は当てはまりません。ＩＴはすべての業界に関連するからです。

ＩＴ業界に関わるということは、あらゆる産業のあらゆるサービス、製品にテクノロジーを結びつけて新しい価値や人の体験を創造するということを意味します。一つの業界を選ぶ必要はないし、活躍できる世界は本当に広いんです。何も特技のない僕にも、やれることはたくさんありました。

ITエンジニアはDXの担い手

DXとは、デジタルトランスフォーメーションのことです。デジタル技術の活用により製品・サービスやビジネスモデルに変革を起こすものという意味です。またデジタルディスラプションという言葉もあります。ディスラプションは途絶とか崩壊ということを指す強い言葉です。デジタルの力で従来の組織やビジネスモデルを壊して新しいものを創造するということです。実際アメリカのウーバー（Uber）は、営業車を所有しない世界初のタクシー会社といわれ、エアビーアンドビー（Airbnb）は宿泊施設を所有しない世界初のホテルだといわれています。そんな奇妙なものはこれまで誰も思いつきませんでした。タクシーの配車事業をするのに車も車庫もドライバーも持たない、ホテル事業をするのに自分ではホテルも建てず、スタッフも雇わないんです。メルカリも自分では店舗も倉庫も商品も何一つ持っていないけれど、不要なものを売る・欲しいものを買うという経験を、多くの人に提供しています。これまで誰ひとりとして思いつかなかったようなサービスが、どんどん生まれています。すべてデジタルデータを使うＩＴを活用して、新しいビジネスモデルを工夫しました。

音楽だって敏腕のプロデューサーとか制作会社に認められて、レコーディングして、それをＣＤにプレスして、パッケージを作ってレコード・ＣＤ店に並べて売るということはほとんど見かけなくなりました。音源を情報としてインターネットに流せばそれで終わり、欲しい人はダウンロードすればいいのです。音源がデジタルデータになることで、送り手から受け手の間をつなぐ物理的な媒体も複雑な経路も全部不要になりました。今まではテレビに出るのは大変で、一生縁がないものだという人もたくさんいたのではないかと思います。でも今はインターネットを使えば自宅をスタジオにして誰でも世界中に動画を配信できます。裏方のスタッフもいらないし、スポンサーを探す必要もありません。テレビ放送がしてきたこと（今もしていますが）が、全部一人でできてしまうんです。

さらに今までは人や人の作った情報がインターネットでつながっていましたが、ＩｏＴ

（インターネット・オブ・シングス）、つまりあらゆるモノがインターネットにつながり、さらにモノとモノがつながって情報をやりとりするということが起きています。今まで得られなかったさまざまなデータが大量に入手できて、その分析に欠かせないＡＩもどんどん進化しています。

例えば高齢者が一人暮らしをしている住宅の冷蔵庫やトイレのドアにセンサーが付けられ、その開閉に関するデータがインターネットを通して収集されたら、そのデータの分析によって普段と違う状況をいち早く察知することができます。ある家電メーカーは、電気ポットの利用状況をデータで収集することで高齢者の生活の見守りができるようにしました。冷蔵庫とかドアとか電気ポットとか、それ自身は何の変哲もない生活用品なのに、その利用状況がデータになって分析されると、高齢者の見守りというまったく別の役割を果たすことになるんです。総務省の「情報通信白書　２０２１年版」では、２０２３年には世界で３４１億台のＩｏＴ機器がインターネットに接続されると予測されています。どの機器のどんなデータが何に使えるか、きっと思いがけない使い道があるはずです。考えるだけでも楽しくなります。

デジタルデータとそれを世界中に運ぶインターネットによって、ＤＸはもっと進み、ＤＸ抜きには新しい成長も発展もありません――世界中で新しいサービスやビジネスを創造して生活を一変させるような挑戦が行われています。

ＩＴエンジニアって、このＤＸの担い手なんです。

だからこれまでの常識や価値観の物差しで優秀だったり評価されたという人以外のところから、どんどんチャレンジャーが現れて新しいビジネスをつくっています。

この業界に慣習や伝統はありません。そういうものにとらわれずゼロから発想することによってこれまでにない新しいものを創造しようという業界であり、そういうマインドの人が集まっています。今、企業の時価総額で世界1、2を争うアップルをつくったスティーブ・ジョブズだって、高校時代に幻覚剤のＬＳＤにはまったり、大学を半年でやめたり、インドに憧れて出かけたけれど思ったより大変なところだと分かってすぐに帰国したり、自分で創業したアップルを解雇されたり、波瀾万丈の人生です。でもＩＴはジョブズに世界一になるチャンスを与えました。

ジョブズは２００５年にスタンフォード大学の卒業式に招かれて、スピーチをしています。そこで最初に語ったのが「コネクティング・ザ・ドッツ（Connecting the dots）」、点と点をつなぐという話でした。「これまで自分は偶然に導かれていろいろなものに出会ってきた。例えば、文字をいかに美しく表現するかというタイポグラフィの勉強もその一つだったけれど、それが10年後にマッキントッシュが画面上に打ち出す美しい文字につながった。経験する一つひとつの点（ドット）を将来を見越してつなぐことはできないけれど、振り返ればつながっている。いつかきっとつながるはずだと信じることは、今それに取り組む自信になる」という趣旨の話です。力強くてすばらしいスピーチです。

自分が信じるままに生きたジョブズが積み重ねた点がつながったのは、やりたいことに向かっていく強い意志はもちろんですが、伝統や習慣にこだわらない自由があったからこそだったのではないかと思います。

ジョブズの話のあとで自分のことをいうのは身のほど知らずのようですが、勉強嫌いでビジュアル系ロックバンドに10代後半の人生を捧げ、これといったＩＴスキルもなくもちろんプログラミングもできない僕が、正社員26人を擁するＩＴエンジニア派遣企業の社長になれたのも、ＩＴの世界だからです。

最近35歳で転職を思い立ち、年間売上何千億円というある超大手企業に応募した人の話を聞きました。彼は前職で10年以上経験を積んでいるのに、学歴を聞かれたというのです。しかもその会社は、インターネットサービスを幅広く手がけている大手企業です。そんな人に学歴を聞きますか？　思わず僕は、その会社に移って大丈夫なの？と言ってしまいました。

僕がそういう学歴を気にする会社や業界にいたら、これまでの社会人としての10年はなかったし、絶対社長にはなれていないと思います。

でもＩＴ業界の若い会社に、学歴を聞くようなところはほとんどありません。僕は勉強してなかったけれども一応は理系なので、どうせ理系の人しかなれないんじゃないの？と思われるかもしれませんが、理系・文系も関係なく、これまでＩＴの世界で文系出身の人が活躍しているのを見てきました。僕が社長になった今も文系出身の人を採用していますし、そのなかの多くの人が活躍しています。

経験も知識も資格も最初から完璧にもっている必要はありません。ＩＴ業界だからこそみんなゼロからスタートできます。こんなことがしたいという熱意とアイデアがあれば、大きな可能性が拓けます。

［第２章］

経歴不要、今すぐなれてしかも高収入!?実は超ホワイトなＩＴエンジニアの魅力

さまざまなＩＴエンジニアが力を合わせている

今どんな産業のどんな会社でも、事業を進めるためにはＩＴを使ったシステムが必要です。ＩＴが必要な業界と必要のない業界があるわけではないんです。それまでのアナログの世界がデジタルデータに置き換えられたときに、世界はまったく違ったものとして人の前に現れたといっていいと思います。なにしろ、お湯を沸かす電気ポットが遠く離れたところから高齢者を見守る道具に変わるんですから。

デジタル化されたデータはこれまで見えなかったものを見えるようにしてくれ、できなかったことをできるようにしてくれます。

例えばコロナ禍で外出自粛が呼びかけられました。あのとき実際に人出がどれほど変化したかということを正確に教えてくれ、次の対策を考えるのに役立ったのは、スマートフォンなどの携帯端末が発している位置情報でした。

ある日の東京駅前の日中の人出はどのくらいで、それは1週間前の同じ時間帯に比べて39％増えましたなんて、人が数えていたら絶対に分かりません。そもそも数えられっこないです。デジタルやＩＴの可能性を改めて教えてくれたものだったと思います。

同じようなことはいくらでもあります。２０１１年の東日本大震災のときに、ある大手自動車会社は自社の会員の車に搭載されていた双方向通信型のカーナビの情報を公開しました。そしてこれをグーグルと共同で地図上に落とし込んで、今どういうルートを取れば一番早く被災地に到着できるかという情報として公開したんです。一般の交通情報では得られない、リアルタイムの情報を詳細に誰でも見られるようになったので、支援物資を積んで被災地に向かっていた車両や支援に向かうボランティアなどが大いに助けられたということがありました。これもデータが有用な情報として活用された好例ですね。

もう一つだけ例を挙げると、東南アジアでアメリカのウーバーと似たようなサービスを提供している会社があります。その会社が自社のプラットフォームに登録し、個人事業主として小荷物を配達する仕事をしているドライバー向けに小口の金融サービス（いわゆる消費者金融）を始めました。

個人にお金を貸すのは貸す側からするとすごくリスクがあります。相手が法人なら逃げたり隠れたりできないけれど、個人は追跡が難しいから貸し倒れになってしまう危険性が高く、クレジットカードを持っているかとか、家を所有しているかとか、年収はどのくらいか、保証人はいるかといったことを聞いたり調べたりしてそのうえで貸すというのが普通です。でも東南アジアの貧しい国では、クレジットカードを持っていない人のほうが多いくらいで、住まいは賃貸で年収も低いという人はたくさんいます。本当はそういう人こそお金がいるのに、貸し倒れが怖いから貸さないという状況があったわけなんです。

それをなんとかしようと、あるフィンテックベンチャーが小荷物の配達をコツコツやっている人がどれだけすばやく確実にモノを届けて、顧客に評価されているかということをすべてデータ化して見えるようにするということを考えました。

そのデータはドライバーの信用を示すものだから、それを基にお金を貸そうというのです。クレジットカードを持っていなくても持ち家じゃなくても、保証人がいなくても、働きぶりから信用できると分かったらお金を貸してもいいじゃないかということです。

その結果、お金が必要でも借りられなかった人にお金が届くことになりました。それまでの人生で一度もお金を借りることができなかった人が借りられるようになって、それで家族で少しだけ贅沢なものを食べたり欲しかった参考書を買って自分への投資にしたり、仕事に使う新しい車を買ったりということができました。返済がきちんと進めば、さらにそれが実績になって前よりも大きな金額を借りられるようになっていく仕組みも用意されています。

誰ひとり取り残さないというのはＳＤＧｓの基本的な考え方ですが、その趣旨にも合ったすばらしい取り組みだと思うんです。それまでの信用判断が、カードや家、保証人だったのに対して、仕事ぶりをデータに置き換えることで新しい信用の形をつくりだし、それで貧しい人にもお金を貸せるようにしたわけです。

人出の変化の分析や緊急時の有効なルートの案内、勤務実態だけに基づく信用判断などはいずれも生活を大きく変える力をもったものですが、どれもすべてデジタルデータの活用によって可能になったんです。そしてこの例で僕がいちばん伝えたいのは、こうした新しいサービスの誕生に非常に多くの種類のＩＴエンジニアが関わっていたということです。「それを知りたいならこういうデータがあればいいんじゃない？」とか「人の信用って、こういうことを見れば分かるんじゃない？」といったアイデアを出したエンジニアがいたし、それをシステムとして設計しプログラムとして完成させ、動くインフラシステムを作ったのもみんなＩＴエンジニアでした。一口にＩＴエンジニアといっても顔ぶれは多彩で、それぞれの力を合わせて一つの新しいサービスや製品をつくりだしているんです。ＩＴエンジニアって、ＰＣの前で一日中コードを書いているプログラマーのことじゃないんです。

ＩＴエンジニアの魅力

① 知識がなくてもなれる

これがとても大事なポイントです。ＩＴ業界で仕事をするＩＴエンジニアって、バリバリ理系の〝知識人〟というイメージがどうしても抜けないからです。でも、ここまで読んで、そうでもないぞということは感じてもらえたと思います。

そもそもＩＴエンジニアの仕事というのはすごく多彩だから、何か一つの専門知識をもっていることが求められるわけではないんです。文系理系の区別はもちろん、そもそも学校の成績も関係ありません。だから、事前にもっているべき知識なんてないんです。

「知識はいらない？　そんなはずない。すごく専門的な知識がいるでしょ」と感じる人が多いと思います。でも、僕自身の場合でも専門知識をもたずにこの業界に入って、大手通信会社のメールシステム構築の一端を受け持ったり、チームをまとめながらさまざまなシステム構築をしてきました。入社してから教わったことや覚えたことはありますが、専門知識をもっていなかったから行き詰まったということは一度もありません。

確かに自分の興味からある領域について深く学び、スペシャリストになるという道はあるし、そういう人もいます。でもそれってＩＴエンジニアのなかでも一部の人で、全員がそこまでの専門性をもたなければならないということはありません。むしろそういうスペシャリストばかりだったら今までにない斬新なアイデアなんて出てこないです。

前述の例でも、実にいろいろなアイデアや知識が集まって一つのサービスや製品になっていることは分かると思います。「電気ポットの使い方で、生活の様子が分かるじゃん！」というアイデアは、別にバリバリ理系のエリートでなくても日常で使っている人なら思いつけるかもしれません。

小口の金融サービスシステムにしても、人の信用度をデータに置き換えることはできるのか、できるとすればどういうデータをどう評価すればいいのか、そのデータをどうやって集めてどういうアルゴリズム（分け方）を使って分析するのかなど一つのシステムを作りあげるには、多くの検討事項があります。これらを分野ごとに検討し、一つにまとめあげることで初めて新しいサービスや製品が誕生します。超優秀なプログラマーが1人いるだけでは新しいサービスは生まれないんです。

僕自身が専門にしていたプロジェクト管理は、チームメンバー一人ひとりの状況を把握し高いモチベーションで仕事に取り組めるように環境を整えることです。プログラムは書きません。でもシステム開発を成功させるには欠かせない仕事です。

ＩＴエンジニアという仕事の範囲は非常に広いので、どういう知識や経験や感性が役に立つかということは、作ろうとするサービスや製品によってまったく異なります。逆にいえば誰にでも活躍できる場があるということです。だからあらかじめの専門知識などはいりません。

②同年代に比べて給与が高い

ＩＴ業界は基本的に給与水準が高く、特にベンチャー企業や創業から10年くらいの若い中堅企業は同年代の他業界の社員に比べて月収で2割から3割は高いと思います。厚生労働省が発表している産業別賃金の比較でも全年齢の平均で製造業が約29・5万円、宿泊業・飲食サービス業が約25・8万円、生活関連サービス業・娯楽業が約26・8万円であるのに対して、情報通信業は約37・4万円と紹介されており、明らかに高いです（「賃金構造基本統計調査」２０２１年）。

ＩＴ業界の給与水準が高いのは、この業界がもっている可能性の大きさによるものです。ＩＴ化が浸透している今、知らないところに出かけるときにあらかじめ訪問先を地図で細かく調べたり、電車の時刻表をチェックする人はいませんよね。道順や乗り継ぎの仕方は、現在地と目的地さえ登録すればすべてスマホが案内してくれます。銀行口座のお金を動かすのも、手元のスマホで簡単にできます。読みたい本や資料を書店や図書館に出かけて探す必要もありません。これもスマホで瞬時にできます。

これまでの生活を一変させるようなサービスを考えだし、これまでの社会の仕組みや生活をガラッと変えてしまうような製品をつくりだすことができるのがＩＴ業界であり、だからこそそれに従事する企業やそこで働く人への評価は高くなります。すでにあるものを継続したり少し改良することは難しくなく、誰にでもできます。そこに高い評価はありません。

しかし次々と新しいアイデアで生活を快適に、また便利にしてくれる若いＩＴ企業は賃金体系も会社に在職した年数に応じて自動的に上がっていくという「年功型」ではなくて、実力主義・実績主義を採っているところがほとんどです。その意味でも給与が上がるペースは速く、金額の幅も大きくなります。

しかも高水準の給与を得て地方で生活したらとにかく物価が安いですから、さらに暮らしにゆとりが生まれます。

③ 人材が不足しているから就職しやすい

今、日本ではＩＴ人材が決定的に不足しています。「ＩＴ人材白書（情報処理推進機構社会基盤センター）」によれば、ＩＴ人材不足は年を追って拡大していて、このまま市場規模の拡大が続けば、２０３０年には最大で79万人、少し控え目のシナリオでも45万人が不足するだろうと予想されているんです。実際、同センターが毎年行っている企業アンケートでもＩＴ人材が「大幅に不足している」と答えた企業は２０１５年度には20・5％でしたが、

２０１９年度には33・０％に拡大していて「やや不足している」という解答と合わせると実に回答企業の89・０％が不足と答えているんです。

それにしても45万人から最大79万人の不足とは大変な数です。２０２０年の大学卒業者の数は約57万４０００人です。最も不足が大きくなる場合は、この全員がＩＴ業界に進んでもまだ足りないくらいです。

ここでいうＩＴ業界とは、従来の業界区分に当てはまらない便宜上の区分です。いわば「狭い意味でのＩＴ業界」で、先ほどの給与水準の比較もこれが前提です。「狭い意味でのＩＴ業界」はハードウェア業界（パソコンやスマートフォンなどの製造）、ソフトウェア業界（ハードウェアを動かすシステムやアプリケーションの設計・開発）、情報処理サービス業界（さまざまなシステムの企画立案・実装・運用など。システムインテグレーターとかエスアイアーなどと呼ばれます）、インターネット・Ｗｅｂ業界（インターネット上でのさまざまなサービスの開発・提供）の４つに区分するのが一般的です。

以上の４つすべての業界でＩＴエンジニアが活躍していますが、それ以外のあらゆる業界でもＩＴエンジニアが必要とされているんです。会社業務の効率化はもちろん、ユーザーとのコミュニケーションの強化や新規事業の開発など、どんな業界の企業も社内のあらゆる部門でＩＴシステムが必要になっていて、その担い手を求めています。

国際的に見たときの日本の特徴でもあるのですが、日本はＩＴ人材がＩＴ企業にいるという割合が非常に高く、72％に達しています（経済産業省「我が国におけるＩＴ人材の動向」２０２１年）。ところがアメリカやヨーロッパではこの比率は35％から多くても47％くらいなんです（総務省「情報通信白書」２０２１年）。半数以上のＩＴエンジニアがＩＴ企業以外でＩＴ関連業務に就いているのです。日本でもこれからは、ＩＴ企業ではない一般の企業がＩＴ人材を求めるようになっていくと思います。

もう一つ数字を挙げれば、エンジニア向け転職サイトのＤＯＤＡの調査によると、２０２１年７月の転職者市場の求人倍率は「ＩＴ・通信」業種で６・82です。１人を７社近い会社が取り合う構図です。金融で１・59、メーカーが同じく１・59、メディアが１・47であるのに比べて、飛び抜けて高い数値なのです。

ＩＴの世界で頑張りたいという意欲をもっている人は、業界を超えてどの企業でも歓迎されることは間違いありません。食品業界に興味があるとかアパレル業界が志望だという人が、その業界の企業にＩＴ人材としてアプローチするというのも大いにアリだと思います。好きな世界で、しかも将来性のあるＩＴエンジニアとして活躍するのもいいと思うんです。ＩＴエンジニアは業界に縛られない存在だからそういう道もあります。

④ 仕事場所を選ばない

コロナ禍でテレワークが一気に拡大しました。長時間の苦しい通勤をしなくても仕事ができるということに、改めて魅力を感じた人は多いと思います。仮に政府や経済団体からの外出自粛やテレワークの要請がなくなったとしても、以前のように毎日出勤したり地方に頻繁に出張しながらの仕事には戻れないし、戻りたくないという声もよく聞きます。コロナの感染状況に関係なく、テレワークは当たり前の働き方として定着していくはずです。

通勤に充てていた時間がそっくり自分の時間になるので、家族と過ごす時間がしっかり取れたり自分の勉強や趣味に充てる時間も増やせます。自分で一日の時間の配分をコントロールできるのもストレスがなくてすごくいいです。時々はリゾート地に出かけて、気晴らしをしながら仕事をする〝ワーケーション〟も楽しめます。

さまざまな仕事のなかでも、ＩＴエンジニアの業務は、テレワークにうってつけなんです。ネットワークにつながったパソコンが1台あれば、ほとんどすべての仕事ができます。僕の知人は、コロナ禍以前から取引先との打ち合わせなどはオンラインで行っていました。本人が取引先を往復する時間を節約できるだけでなく、オンラインにしたことで生まれた時間を有効に使って、今までは引き受けてから1日かかっていた作業を半日で仕上げることになれば、取引先にとってもメリットなんです。「パソコン1台でどこでも」という身軽なワークスタイルが貫ける点は、ＩＴ業界で働くことの大きな魅力です。

⑤ 有名大企業と一緒に仕事ができる

別に僕のなかに一流志向や大手志向があるわけではありません。僕は大手企業に行かなかったからこそ起業できたし、一緒に仕事をする仲間も見つけることができたと思っています。でも大手企業にも大手企業ならではの魅力があります。

日経新聞の一面に載るような社会的な影響力の大きなサービスやビジネスが生み出せるのも大手企業ならではです。

こうした大きなシステム開発はいくら大手企業でも一社ではできません。ＩＴ企業が多数参加して開発の各パートを担います。そのため規模が小さいＩＴ企業も、チームに加わることがよくあるのです。僕自身経験がありますが、自分が開発に加わったサービスがマスコミで大きな話題になったり、電車で隣にいる人がそのサービスを使っている場面に遭遇するといったことがあるわけです。そういうときは充実感を覚えますし、改めて自分の仕事の意義を感じることができますし、やりがいにつながります。ＩＴの世界にいると「それ、僕も開発に参加したんだよ」という自慢ができます。よくゼネコンと呼ばれる総合建設会社を志望する理由として「地図に残る仕事だから」という話を聞きますが、ＩＴエンジニアの仕事もそれに負けない大きな社会的な魅力をもっています。「人の生活を大きく変える仕事」だと思っています。

⑥ 人の役に立てる

人のためになる、人の役に立てる仕事はたくさんあります。医療や介護、食品や建築みんなそうです。すべての業界の仕事が、なんらかの形で人の役に立っているといえると思います。

　そのなかでもデジタルデータを扱うＩＴの仕事は、今特に重要性が増しています。日本では人口の減少が２００８年から始まっています。少子高齢化も進み、働き手はどんどん少なくなっています。さまざまな場面でデジタル化を進め、業務を効率化してより少ない人数でこれまでの社会システムやサービスを維持していくことが求められています。そのためにはデジタルの力が欠かせません。

　地方行政もそうです。限られた数の職員で、高齢化と過疎化が進行することによって手間や負担が大きくなる一方の行政サービスを維持していくためにはデジタル化が必須です。世界的に話題になりましたが、北欧の小国であるエストニアでは徹底した行政サービスのデジタル化が進められました。「２０１７年の報告では、国内９００以上の機関の１４００種類にも及ぶ公共サービスが電子化されており、それ以前と比べ1年間で『８２０年分』の労働時間削減効果。エストニアの行政コストは英国の０・33％、フィンランドの3％というから驚く」（『ＤＸとは何か』坂村健著、角川新書）。まさにデジタルの力です。

今日本で県をまたいで引っ越しすると、行政の転入転出手続きをはじめ、電気、ガス、水道、郵便局などの変更手続きを一つずつしなければなりません。インターネット上でできるといっても一つずつというのはとても面倒です。もしこれが1カ所・1回で済めば楽ですし、受け付けるほうの手間も大幅に減ります。デジタル化されたデータがシステム上を流れるだけです。

行政だけでなく、日本が今直面する高齢化社会のもとでの医療や介護を考えても、データを駆使した遠隔での医療や高齢者の見守り、誰でも使いやすいコミュニケーションツールの開発などは大きなテーマです。

まだ食べられるのに捨てられている食品は、２０１９年の環境庁の集計で日本全国で１年間に約５７０万トンにも上っています。世界全体の食糧援助量が約４２０万トンなので（２０２０年実績、消費者庁資料）、その1・4倍近くを捨てているんです。

この食品ロスも、過剰在庫にならないようなきめ細かな発注ができるＡＩを駆使したシステムの開発や、食品の廃棄が出そうな人と必要とする人をつなぐシステムがあれば大きく削減できるはずです。これもＩＴの力で解決できる社会的な課題の一つです。

日本だけでなく、世界が解決しなければならない課題は今山積みです。ＩＴエンジニアは、データを駆使して見えなかったものを見える化し、今までつながっていなかった人やモノを新たにつないで、社会課題の解決に貢献することができるんです。

⑦ モノづくりができる

モノづくりというのはやはりやりがいを感じます。自分で切ったり削ったり組み立てたりして形にする――自分が頭で構想して形にしたモノは、やはり世界に一つだけの特別な存在です。

ＩＴエンジニアも、物理的な形は伴っていないけれど、システムというモノをつくることができます。こういうモノがあったらいいな。便利だろうなと思ったことを、その動きを指示するプログラムを書いて、実際に動く仕掛けとしてつくることはモノづくりに通じる楽しさがあります。

僕も遊び半分ですが、自分のＰＣを起動したときに自動的に必要なアプリを順番に起動し、それを一つずつ声で教えてくれる、という自分だけの仕組みを作っています。僕はプログラミングはできませんが、これはコマンドをいくつか入れていくだけの軽作業で30分も掛からずにできました。自分が想定したとおりに動作するオリジナルの仕組みなので、これはやっぱり楽しいです。

⑧ 思いついたことをすぐに試せる

身軽さはＩＴの大きな特徴です。やってみて、ダメならまたプログラムを書き直せばいいだけです。コンピュータ上ならシミュレーションは何回どころか、何百回も何千回も納得がいく結果が得られるまでできます。リアルなモノの世界では、何がいけなかったかの原因を探ることに時間がかかります。場合によってはまたゼロから始めなくてはなりません。コストも手間もかかってしまい、何度もチャレンジすることはなかなか困難です。そうなると、ちょっと無理筋だけどやってみるという冒険ができないんです。だから、できあがるものも無難なものにしかならないことがよくあります。「成功のＫＰＩ（Key Performance Indicator、目標の達成度を示す指標）は失敗の数である」という名言がありますが、チャレンジの数だけ成功の可能性は大きくなっていくのだと思います。試行錯誤が何度でも手軽にできるということは、予想もしなかった画期的なものを生み出す力です。ＩＴの世界はその点でも魅力があります。ＩＴエンジニアは全員が常にチャレンジャーなんです。

⑨ダイバーシティな世界でのびのびと働ける

ＩＴエンジニアは腕力がいるわけではないし、扱うのはパソコンという共通の道具です。一人だけ飛び抜けて高性能のマシンを操っているということはありません。システム開発の手法やプログラミングに使う言語も世界共通です。この言語を習得しているとプログラミングは可能ですが、プログラミングができなくてもＩＴエンジニアになることはできます。ＩＴエンジニアになるためには性別、年齢、国籍、障がいの有無などは関係ありません。誰もが対等な存在です。

しかもサービスや製品の開発は、プロジェクトを作ってメンバーが知恵を出し合いチームで協力しなければできないので、コミュニケーションが円滑に取れるようにお互いに意識しています。メンバーが対等な立ち位置で、フラットな関係を保ちながら仕事を続けていくので、ＩＴエンジニアの世界は多様性に富んでいます。

日本の組織は内と外を峻別し、気心の知れた身内だけが「以心伝心」「あうんの呼吸」で固まろうとするところがあります。それができない人間は「空気が読めない」などと言われて仲間はずれにされてしまいます。ダイバーシティで多様なものを多様なまま大きく包み込むインクルーシブな組織を作ることは、もともと苦手なんです。でも、ダイバーシティ&インクルーシブが備わっていない組織に新たな発見も創造も生まれません。同じ価値観、同じ感性の人間しかいないわけですから、刺激も気づきもないんです。

その点ＩＴエンジニアの世界には、日本の伝統的な組織にはない創造性に富んだ環境があり、多様な人に出会いながら自分を成長させていく場としての魅力に溢れています。

⑩ 会社と社会の未来を担っていく中心的存在

これまで「エンジニア」というと、会社のなかでは異色で特別な存在でした。理系でちょっと頭が固い人たち、オタクの集まりみたいな……。

これまで一般的に、会社の中心は営業部門であり、それと連動するマーケティング部門や広告宣伝部門でした。長期戦略や成長の道筋も、この営業中心のラインで決まっていたのです。エンジニアがいる技術部門とか研究開発部門、付属研究組織などは、組織の傍流で「お金を生まず使うばっかり」「技術的な関心だけの狭い世界」といった冷ややかなイメージで受け止められていました。時々営業部門から「こういうもの開発できる？」といった問い合わせがあり、苦労して作って持っていくと「こんなんじゃ売れっこないよ」「お金がかかり過ぎ」と言い放たれる、といったこともよく起きていました。

ところがデジタルの時代になって、技術部門と営業部門の関係は変わりました。デジタル技術を知らなければ、新しいサービスや製品のアイデアも出てこないからです。営業部門やマーケティング部門が市場を眺めて新サービスや製品のアイデアを思いつくのではなく、技術部門がデジタルの世界でこんなことができそうだという発見をすることを切り口にして、これとこれをつなぎ合わせたらこんな新しいサービス・製品ができるとさらにアイデアを煮詰め、それを営業部門に持ち込むという順番です。

デジタルデータの活用を通して新しい生活や価値を創造することこそ、社会の未来に貢献し会社の存在意義を高めることにつながります。デジタルの時代は、ＩＴエンジニアが所属する技術部門を組織の中枢に押し上げることになったといっても過言ではありません。ＩＴを知る人が企業を動かす時代になりつつあります。

アメリカでは取締役会の下にＣＥＯ（最高経営責任者）やＣＯＯ（最高執行責任者）、ＣＦＯ（最高財務責任者）などを置くように、日本企業でもグローバルに展開しているところでは同じ名称のポストを置いています。今はここにＣＤＯ（最高デジタル責任者）を置くことも増えています。

ＣＤＯは経営の観点から組織のデジタルトランスフォーメーション（ＤＸ）を推進する責任者のことで、データに基づく組織変革や新たなビジネスモデルづくりを推進する役割を担います。単なるデジタル部門の部長ではありません。経営の中枢にいる責任者の一人としてデジタルの視点から経営判断をする人なんです。以前は存在していませんでしたが、現在はそれだけデジタルを駆使した経営戦略が重要になっているということです。ＩＴエンジニアは今、ビジネスのど真ん中にいて、会社の将来を決める重要な存在でもあるんです。

［第3章］

ITエンジニアの仕事を大解剖！入社後に求められるスキルとキャリアパス

ＩＴエンジニアという職業は魅力的である一方、誰でもなれる存在でもあります。なぜなら、一口にＩＴエンジニアといっても多くの職種に分かれていて、求められる知識や性格も含めた人の向き不向きも、それぞれ異なっているからです。ある職種には向いていなくても、別な職種であればぴったりということも大いにあるんです。自分はプログラマー向きではないし、プログラミング言語も知らない。だからＩＴエンジニアにはなれないというのは、大きな誤解です。プログラミングをしないＩＴエンジニアもいるし、むしろ多数派です。

理系、文系も意識する必要はありません。ＩＴエンジニアは決して理系の専売特許という仕事ではなく、両方のセンスが必要です。つまり理系でも半人前、文系でも半人前なんです。半人前という意味ではどっちでも同じで、みんなそこからのスタートです。

ＩＴエンジニアにはどんな職種があり、それぞれどんな知識が必要でどんな人に向いているのか、いくつか紹介します。そのなかで自分に合ったＩＴエンジニア職があると思います。ただ、あらかじめいっておきたいことがもう一つあります。以下では「必要な知識」といった言葉が出てきますが、それがなければ目指すことができないという意味ではあり

一口に「IT エンジニア」といっても、これだけの職種がある

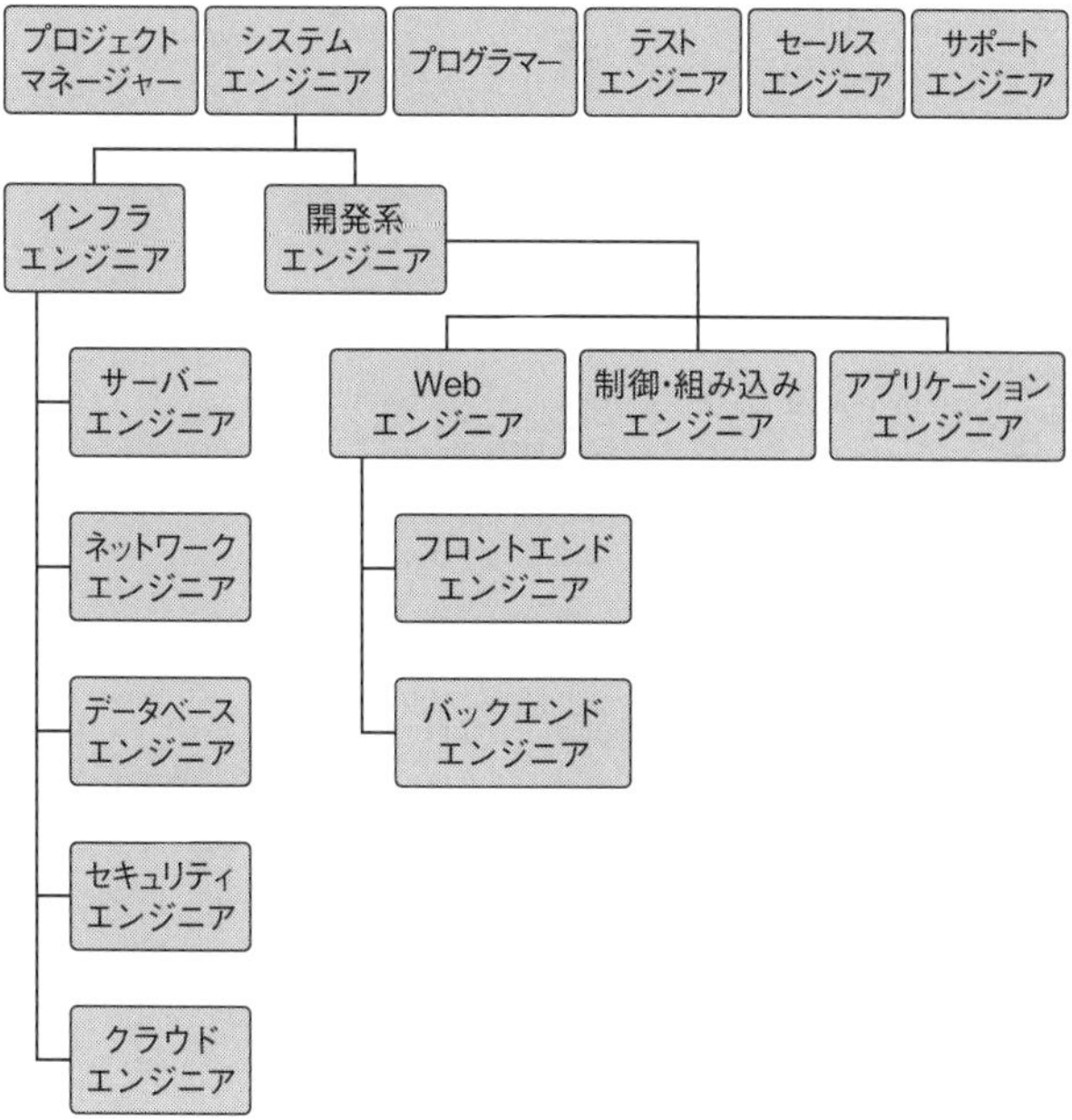

ません。「ふーん、いずれはこういう知識があるといいんだな」くらいに読んでください。誰でもスタートはゼロからです。習うより慣れろで、実際にその業務を手伝ったり担ったりしながら学んでいけばいいだけのことです。知識のことは気にせずに、面白そうだなと感じるものをチェックしてみてください。

●プロジェクトマネージャー

・どんな仕事か

最初に取り上げるプロジェクトマネージャーは、実は各種のITエンジニアのなかでもちょっと特別な存在です。というのも、ほかのエンジニアのように開発の実務には加わらないからです。プロジェクトマネージャーは、ITシステム開発プロジェクトの現場責任者で略して「ピーエム（PM）」などと呼ばれます。

システムの発注者である顧客（クライアント）と実際に手を動かして開発する現場のエンジニアの間に立って全体の進行を管理し、予算や納期、作りあげたシステムの品質などプロジェクトの全体に対して責任を負う立場です。その力量次第で開発の成否が決まるといわれるほど重要な役割を担います。技術力よりマネジメント力が求められるので文系出身の人も多いです。

家づくりを例にとれば、建築工事を請け負った建設会社の担当責任者のような人です。

顧客と建築事務所とを結んでやりとりを交わして設計していくほか、外壁をタイル張りにするなら材料のタイル、壁紙、電気配線、給水設備、システムキッチン、洗面台、フェンス、車庫など実に多様な製品を顧客に提案し了解を得て現場に発注させ、施主の意向や天候などを踏まえつつ設計や工事の工程と期間の調整を行い、総合的なコーディネートをすることが、請け負った建設会社の担当責任者には求められます。

　プロジェクトマネージャーも同様です。規模にもよりますがプロジェクトは通常、分野ごとにいくつかのグループに分かれて進められます。例えば以前僕が担った携帯電話のメールシステムならメールのサーバーを担当するグループ、メールを保存するストレージを担当するグループ、さらにセキュリティを担当するグループといった具合です。そしてグループごとにリーダーが選ばれます。グループリーダーまたはプロジェクトリーダーと呼ばれます。プロジェクトマネージャーは、このリーダーを通してプロジェクト全体の進捗を把握し、どこかで問題は起きていないか、負担が大き過ぎて効率が落ちているグループやメンバーはいないか、人員の交代や補充の必要はないかといったことを細かくチェックして問題があれば解決を図ります。また、システム開発の発注者であるクライアントと密に連絡を取って、報告や打ち合わせを重ねプロジェクト全体をリードしていくわけです。

・特にどんな力が求められるか

プロジェクトマネージャーに求められるのは、何といってもコミュニケーション力と責任感です。各リーダーや、その下で動いているスタッフの心身の健康状態にも気を配る必要があります。時にはチームを守るために当初のスケジュールや体制を見直すことも必要で、そのときはクライアントとの交渉もします。

プロジェクトでは予定外のことが起こるのが常なんです。開発メンバーが病気になってしまったり設計書に大きな問題点が見つかったり、どうしてもプログラムどおりに動かないといったなんらかの事情で、当初の納期では間に合わなくなる事態が起こります。そうしたときには例えばあるグループに集中的に人員を追加投入するとか、この仕様にすると決めていたもののなかからあるものについては思い切って見送り、次のバージョンアップのときに回すといった決断も必要になります。この点では、コミュニケーション力とともに、決断力も求められる仕事です。また、開発現場に加わらないので細かい専門知識は必要ないとはいえ、全体の指揮を執るうえではシステム開発に関連する幅広い知識は必要になります。

規模の大きなシステム開発になれば、千人単位のエンジニアが1年も2年も関わるということもあります。この全体を率いていくのでプレッシャーもありますが、やりがいは大きいです。

・どんな人に向いているか

プロジェクトマネージャーに向いているのは、一つの分野に集中してそこに入り込んでいく人より常に一歩引いた広い視野で全体を眺め、状況を理解することに長《た》けた人です。周囲に流されず決断すべきときは果敢に決断してことを前に進めることのできる人で、野球でいえばキャッチャータイプ、サッカーなら全体の戦況を見ながら戦略を組み立てて、ボールを回すトップ下やボランチといったところです。

プロジェクトマネージャーは、ＩＴシステム開発の全体に責任者として関わる業務なので、新人がいきなり担うことはできません。まずは一人のエンジニアとしてプロジェクトの一部を担い、開発業務がどのように進むのか経験を積むことが必要です。そのなかでマネジメント業務に面白さややりがいを感じたら、最初はチームリーダーとして間近でプロジェクトマネージャーの仕事ぶりに接しながらスキルを磨いていくことになります。

最近ではプロジェクトマネージャーを支援する組織として、プロジェクトマネジメントオフィス（ＰＭＯ）を作ってプロジェクトを動かすケースも増えています。

ＰＭＯはプロジェクトの規模が大きいときなどに各チームの状況把握をし、プロジェクトマネージャーをサポートする役割を果たします。

●システムエンジニア

・どんな仕事か

システムエンジニアはシステム開発に取り組む各種のＩＴエンジニアの先頭に立って、まず大きな設計図を描く人です。システムエンジニアが設計図を描かなければ何も始まりません。略して「エスイー（ＳＥ）」と呼ばれます。ＩＴエンジニアと聞いてなんとなくイメージする職種のトップが「プログラマー」だとすれば「システムエンジニア」はその次くらいに名前が知られた存在です。

システムエンジニアはシステムの発注者であるクライアントから要望を聞き取り、それに沿ってシステムの内容をプロジェクトマネージャーやプロジェクトリーダーと決めていきます。システム開発は息の長いものが多く、いろいろな人が次々とバトンを受け継いでいくので、よく川の流れに例えられますが、システムエンジニアは最も上流の工程を担当します。先の家づくりの例でいえば、設計図を描く建築士です。

設計図に不備があったり誤りがあったら家は建ちません。設計図がしっかり描かれているかどうかは家づくりの成否を占う重要なポイントになります。

システムエンジニアも同じです。システムエンジニアの仕事で最も重要なのは、どんなシステムにするのか、システムが備えなければならない要素をすべて洗い出し明確にすることです。ここで漏れがあるまま実際の開発作業に移ってしまったら、現場は混乱してしまいます。

大切なのが最初に行われる「要件定義」と呼ばれる作業です。

ちょっと堅苦しくて、日常の暮らしのなかではあまり耳にしない言葉です。要するにシステムが果たすべき役割をクライアントとの間で明確にすることです。例えば、「今、手書きの書類で行っている経費の精算を簡単にできるようにしたい」とか「受発注から物流、生産、在庫管理まで総合的に管理するシステムを作りたい」というようなクライアントの要望を聞き取ったうえでそれをどのように解決するのか、要求を基にどういう機能や性能をもったシステムを作るのかというゴールを決める作業です。

要件定義は単にクライアントの希望をまとめた「要求書」つまり「顧客のやりたいことリスト」ではありません。要求をどういうシステムによって実現するのか、それをシステム開発者の視点で整理した「要望実行書」です。

「広いリビングルームが欲しい」というのは「要求」です。これに対して、「ではリビングはキッチンとダイニングと一体にして、住まいのこの位置に20畳の広さで確保すればいいですね」と、より具体的に要望実現の内容を決めていきます。これが要件定義です。

要件定義で気をつけなければならないのは、クライアントはＩＴシステムについて詳しい知識をもっているわけではないということです。あくまでもこんなことができたらいいなという希望をもっているだけです。「広いリビング」もそうです。「広い」という言葉が、何畳くらいのイメージで言われているのか人によって異なります。10畳でも十分広いと感じるのかもしれないし、30畳以上なければダメと思っているのかもしれません。もしかしたら面積ではなく、天井が高く窓が大きくて開放感があることを広いといっているのかもしれません。

それは発せられた言葉だけでなく、なぜ「広い」ことが必要だと思ったのか、今までのリビングにどんな不満があったのか、それを聞いていかなければ明確になりません。つまりあなたが求めている広いということは、こういうことですね、と、設計者というプロの目で置き換えて示し、「それそれ、そういうこと！」というゴールで合意しなければなりません。

システムエンジニアは会話を通して、相手の思いを具体的な形でしっかりと引き出していきます。

時にはクライアントの内部に対立が残っていることもあります。ある部署はこうしたいと思っているけれど別の部署は違うことを考えているといったケースです。

例えば病院の外来患者の受付から診療、薬の受け渡し、支払いまでの一貫したシステムを作るとします。この場合、医師や看護師などの医療スタッフの求めることと、事務スタッフの求めることはしばしば対立します。そのタイミングでは患者にこう動いてほしいという要望が異なるのです。持ち場が違い、果たす役割が違えば当然そういうことが起きます。

しかしそれが解決されないままどちらか一方の要望だけに従ったら、システム開発はうまくいきませんし、仮にできてもどちらかから不便だから使えないという声が上がってしまいます。部署間の話し合いができるよう両者が顔を合わせる場を作ったり、そこで両者の意見を吸い上げ「それならこういう仕様のシステムを作ったほうが全体として良いものになるのでは」と議論を導くようなことも、システムエンジニアには求められます。

要件定義が終わったらシステムエンジニアは基本設計を行います。要件を実現するための全体的なシステム構成の設計です。

建築士が全体的な構想を踏まえていよいよ細かく設計図面を描いていく段階です。システム開発についての最新の知識や、より専門的な領域についての動向なども知っておかなければならないので、各分野のスペシャリストからヒアリングをしたり議論をしながら仕上げます。

それができたら次は、システムを構築するための具体的な手法や技術を定める詳細設計に進みます。

具体的にどういう機能をもたせるのか、そのためにコンピュータはどういう処理をしていくのか、人が操作するための画面はどういうデザインにするのか、データを保存したり引っ張り出したり書き換えたりするためのデータベースはどのような考え方で作るのか、といったシステムの細かい仕様をすべて決めていく作業です。これも各分野の専門のエンジニアと相談しながら作りあげていきます。

間取り図だけ描いても家は建ちません。電気の配線や給排水管をどう通すのかとか、内装や外装の仕上げはどうするかとか、決めなければいけないことはたくさんあります。それが詳細設計です。

一般的に、要件定義に始まり基本設計とそれに続く詳細設計までがシステムエンジニアの主な仕事といえます。

・特にどんな力が求められるか

システムの設計にあたるシステムエンジニアに求められるのは、まず問題解決能力や構想力です。

クライアントが直面している問題をどうすれば解決できるのか、論理的に考え解決策を導くことができなければなりません。そのためにはそもそも何が問題なのかを見つける力が必要です。

問題をいろいろな視点から見直したり、階層に切り分けて分析し検討する論理的な思考力や、時間的な経過を遡ってみたり背景に思いを巡らせる、といった多角的な視野をもつことも必要です。また、起きている不具合や問題点に精神的に追い詰められない、悩んでいる相手に共感し過ぎないタフな精神力も求められます。

もちろん問題発見のためには、プロジェクトマネージャー同様、コミュニケーション力も大切です。要件定義をしっかり行うためには、明確な言葉になっていないものにまで遡って相手の求めているものをつかむ必要があるからです。

・どんな人に向いているか

システムエンジニアに向いているのは、常に広い視野で全体を眺め、論理的な組み立てを楽しみながら大きな構想と工夫で問題解決を図るのが好きな人です。複雑なパズルを解くのが好きだったり、小説を読むなら推理小説がいい、というような人には向いています。また、システムエンジニアは、最上流の工程に関わるので、次の工程への配慮ができることが必要です。

システムエンジニアの仕事はプロジェクトマネージャー同様、入社間もない新人が担えるものではありません。しかし、先輩社員に付いてしばらく経験を積み、小規模の開発を経験していけば、2年目、3年目の人でも活躍することができます。

システムエンジニアがシステムの詳細な仕様を取り決めたら、いよいよシステム開発が始まります。

その工程は大きく3つに分かれます。

1つ目はシステムエンジニアが決めた仕様書に基づいて実際にプログラムを書く作業で、これは「プログラマー」が担います。家の骨格をつくっていく大工さんの仕事です。

2つ目はこのプログラムが動作するハードウェアを整えることです。都市の鉄道網や上下水道、送電網などを社会インフラと呼びますが、プログラムが実際に動く環境を整えることもシステムのためのインフラ作りに相当します。サーバーを設定したりネットワークをつないだり、セキュリティ対策を講じたりといったことです。これらは「インフラ系エンジニア」が担います。家づくりでいえば給排水管やガス管の敷設であり、電気配線工事などにあたるものです。

3つ目はこの基盤の上で動くさらに細かいシステムを作る仕事です。

インターネットに載せて動かすＷｅｂサイトやＷｅｂアプリの開発、機械に組み込むシステムの開発、その他のさまざまなアプリケーションの制作です。これは「開発系エンジニア」の仕事です。

新しい住まいで生活を始めるためには、配管や配線だけあってもダメでキッチンや浴室・洗面などの水回り設備、冷蔵庫や洗濯機などの家電製品、ソファやテーブル、椅子などの家具や調度品が欠かせませんよね。それを担当するエンジニアといえます。

インフラエンジニア

システムエンジニアが設計した新しいシステムを動かすためには、土台となるサーバーやネットワークなどの物理的な基盤が必要です。その設計と構築を行うエンジニアをインフラエンジニアと総称します。具体的には、サーバーエンジニア、ネットワークエンジニア、データベースエンジニア、セキュリティエンジニア、クラウドエンジニアです。

●サーバーエンジニア

・どんな仕事か

アクセスが殺到してサーバーがダウンしたなど、サーバーという言葉を報道などで耳にすることは多いです。サーバーというのは、パソコンやスマートフォンなどとインターネット上で情報をやりとりする高性能のコンピュータのことです。Ｗｅｂページを表示したり、メールを送受信したりする機能を担っています。サービスを提供する人という意味の英語のサーバー（Server）という単語がそのまま使われているんです。その一方で、提供されるサービスを利用する側はクライアント（Client）と呼ばれます。ＰＣの前に座っていたり、スマホを操作している僕たちのことです。

銀行やコンビニのＡＴＭやSuicaなどの交通系ＩＣカード、オンラインショッピングなど、世の中にはさまざまなシステムがあります。ある程度の規模以上のシステムには提供する機能に合わせて必ずいくつものサーバーが使われています。例えば、ネット販売を行うＥＣサイトなら、商品情報などを表示するＷｅｂサーバー、さまざまな情報を管理するデータベースサーバー、メールを送受信するメールサーバー、表面には見えてこないけれどいろいろなプログラムを動かすアプリケーションサーバーなどです。

サーバーはコンピュータには違いないのですが、パソコンに比べて処理しなければならない情報量が桁違いに多く、家庭のＰＣのように使い終わったらスイッチを切るといったこともありません。24時間安定して動き続けなければならないので、電源や冷却装置が二重になっていたり、運転を続けながらメモリやディスクが交換できるといった仕組みも設けられています。

サーバーエンジニアの仕事はシステムの規模にふさわしい性能をもったサーバーを選んで、それらを動かせるように設定することです。

アクセス件数がどれくらいになるのか、同時に接続する予想人数が100人なのか1000人なのか、さらに、作ろうとするシステムの違いによって、例えば予約・発券システムのようにリクエストにすばやく応える瞬発力が必要なのか、それとも顧客データを扱うようなある程度時間をかけてデータを分析する持久力が必要なのか、さらに管理する顧客の数はどれくらいなのか、といったWebサイトの特徴から求められる機能をシステムエンジニアから聞き取り、そのうえで必要になるサーバーの構成や能力、台数を決めていきます。

そしてサーバーの構成が決まったら、それぞれのサーバーが動くようにOS(Operating System)やソフトウェアをインストールして細かい設定をします。

どんなに優れた構想のシステムも、それを支えるサーバーがなければ絵に描いた餅です。システムエンジニアのような華やかさはないかもしれませんが、システムを根幹で支える重要な役割を担います。

・特にどんな力が求められるか

サーバーエンジニアの仕事でまず必要になるのは、コンピュータ上で基本的な機能を担うソフトウェアであるOSに関する知識です。「Windows Server」「MacOS」「Linux」「UNIX」といったOSについての知識を、どれでも使いこなせるようにもっていることが必要です。また、サーバー用のアプリケーションやネットワーク全体についての知識も求められます。

・どんな人に向いているか

表に出るより縁の下の力持ちとなって、人知れずサポートに回るのが好きな人に向いています。そして機械が好きであることも重要です。サーバーエンジニアは、さまざまなメーカーの機器について知識をもち、システムの要求を満たすためにどれくらいの性能の機器を何台接続するのか、それぞれに必要なメモリをどう割り当てるかなど、機器の構成を決めていくので、機器の仕様書を読んだり、比較したりするのが大好き！というメカ好きに向いています。簡単なコンピュータなら自分で組み立ててしまうというくらいの人には特におすすめです。

●ネットワークエンジニア

・どんな仕事か

サーバーエンジニアが設定した複数のサーバーの間をつないだり、クライアントとサーバーの間をつなぐのがネットワークエンジニアです。

企業活動でも個人でも、インターネットにつながっていることが前提となっています。いつでもどこでもネットワークが快適に利用できることは鉄道や道路、電気やガスと同じように、社会インフラとして当たり前のことになっています。その当たり前をエンジニアとして支えていきます。インターネット時代のとても重要なエンジニアです。

ネットワークエンジニアの具体的な仕事は、大きく分けて4つあります。1つ目はネットワークの設計、2つ目は設計どおりに実際に機器をつなぐ構築、3つ目は利用が始まってからの運用、4つ目がトラブル時の対応や保守です。

また現在は大規模なシステムでも、1つのネットワークにすべての機器を接続するということはしません。通信速度の維持とセキュリティの確保という2つの理由から、いくつかの小さなネットワークに分け、それを階層に分けてつないで大きなネットワークにします。このネットワーク同士をつなぐこともネットワークエンジニアの仕事です。

・特にどんな力が求められるか

ネットワークエンジニアに必要なのは、サーバー同士が情報をやりとりするための通信規格であるＴＣＰ／ＩＰについての理解や、ネットワーク同士をつなぐルーターやスイッチ、ブリッジと呼ばれる機器についての理解、アクセス集中時にそれを複数のサーバーに振り分ける分散、故障や事故発生時の対応などについての知識です。さらに信頼性の高いネットワークを構築するためには、セキュリティに関する知識も欠かせません。

・どんな人に向いているか

ほかのITエンジニアに比べてルーターやスイッチなど、機械に触れることが多い仕事です。機械をいじったりきれいにつないだりするのが好きな人に向いています。

ネットワーク技術は常に進化を続けています。積極的に情報を集めたり、自主的に勉強したりする向学心旺盛な人でなければ変化についていくのが大変です。

●データベースエンジニア

・どんな仕事か

サーバーに保存される商品情報や顧客情報はシステムの運用とともに、どんどん増えていきます。エクセルファイルなどで管理することもできますが、データ量が膨大になってくると扱いが難しくなります。そこで必要になるのがデータベースです。

データベースは情報を1つの場所に集めたものです。しかし、データベースは自動でデータを整理することはしません。そのままではただの大きな箱です。データを分かりやすく保存し、必要なときに取り出すには、人の手を介さなければならないのです。データベースマネジメントシステム（DBMS）と呼ばれる専用のソフトウェアを使ってデータを検索して参照したり、集計したりしやすいように整理します。DBMSとセットになることで、データベースは初めて意味をもつものになります。

データベースエンジニアは、DBMSを使ってデータベースの設計・開発、管理、運用を行うエンジニアです。

具体的な仕事としては、システムが求める最適なデータベースを設計・開発することです。利用者数やアクセスの頻度などをきちんと見積もらないと、回答が遅い、使いにくいといった問題が生じてしまいます。そのうえで、データを保存するためのストレージサーバーの設定を行ってハードウェアとしてのデータベースを作りあげます。

データベースには事業活動上の機密情報や顧客の個人情報といった、企業にとって非常に重要な情報が蓄積されていくので、セキュリティ対策を徹底することもデータベースエンジニアの大きな役割です。アクセスしていいのはどういう権限をもった人か、その認証をどう行うかといったこともデータベースエンジニアが決定し、運用していきます。

コンピュータの性能は年々上がり、大量の情報をすばやく処理できるようになっています。また、さまざまなセンサーの開発や小型化、ＡＩを駆使したデータ分析の能力の向上などによって、最近では今までは捨てられたり、あまり活用されなかったデータに改めて注目が集まっています。「データは21世紀の石油」などといわれていて、資源としての価値が非常に高くなっているんです。その意味で、データベースエンジニアの重要性は非常に大きくなっています。

実際、データの収集と分析によって、今まで見えなかったものを見えるようにして、新しい解決策を導いたり、ビジネスを作ったりする例が増えています。

例えば、ＰＯＳデータという言葉を聞いたことがあると思います。Point of Salesつまり販売時点情報管理です。お店のレジで商品のバーコードを読み取ると、売れた商品、売れた日時、その価格などが集計される仕組みです。小売店によっては、さらにレジを打つ人が、購入客の性別や推測した年代を手で入力していたりします。

でもこのＰＯＳデータは、あまり使われていなかったんです。販促キャンペーンを行ったときに、その商品がどれくらい売れたかという効果を確かめるのには有効でも、それ以外はほとんど使い道がありませんでした。ところが、最近では電子決済が増えていることもあり、電子決済情報をお店の枠を超えて集めれば、ある人が、その日に何と何を買ったかということが分かるようになってきました（もちろん、プライバシー保護はされています）。すると、ある人があるお店でＡという商品を買い、その後で別の店でＢという商品あるいはサービスを買ったということが分かります。その例がたくさん見つかれば、ＡとＢはセットで購入されることが多いということになります。この情報は広告に使えます。Ａを宣伝するときにＢを登場させるようにすれば、Ａを買う人は「そうだＢも買わなくちゃ」と改めて意識するでしょうし、Ｂを見て「そうだＡを買わなくちゃ」と思うかもしれません。いずれにしても宣伝効果は大きくなります。

　こんなふうにデータがたくさん集まり、さらにそれを詳しく分析できるＡＩが登場したことで、今はデータがより多くのことを語ってくれるようになっています。

　例えばこんなこともありました。全国の自治体では、県民の就労調査というものを行っています。その一項目に女性の就労者数というのがあるんですが、以前はこの数の比較だけで都道府県のランク付けが行われていました。女性就労者数第1位の県は当然「女性活躍度ナンバーワン」ということになります。しかし、ここに職種（事務補助とか経理とか工場での軽作業とか営業とかいったものです）と、就労している女性の管理職の比率といったデータを合わせて分析すると、就労者数が多いといっても、事務補助が多く、管理職比率が低いのだとしたら、この県は本当に「女性活躍度ナンバーワン」といっていいのかどうか、疑問も湧きます。本当の意味での女性活躍とか女性の働きやすさとはどういうことなのか、その実現のためにはどういう政策が必要なのか、改めて考えるきっかけになります。

安全で使いやすく誰もが安心して利用できるデータベースがあることは、その会社の従業員一人ひとりの力を引き出す意味でも重要です。地味な裏方に見えますが、データの重要性を考えればこれからの企業の成長に直結するといえる仕事です。

・特にどんな力が求められるか

どんなデータベースが求められているかということは、使い手とのコミュニケーション抜きに明らかになりません。現場の声に耳を傾け、聞き取る力が必要です。また、データベースは誰もが納得できる明快な論理に則って整理されている必要があります。データの量ばかり多くても、使いにくければ意味がありません。そのためには論理的な思考ができることも大切です。さらに自社の事業の全体像や、将来の展望のなかで、どういうデータをどう使ってほしいかというデータベース設計者としての意志をもつことも大切なことです。いわば攻めのデータベース作りをする力です。

・どんな人に向いているか

データベースに関する専門的な知識を有するエンジニアはまだ決して多くありません。しかし、データベースはＩｏＴの進化やＡＩの活用によって、ますます重要になっていきます。新しい領域を切り拓く意欲のある人には挑戦しがいのある世界です。ただし、奔放に何でもやってみることができるという世界ではありません。データを守り、誰でも使いやすいようにきちんと整理整頓しておくことも欠かせません。整理好き、きれい好きの人に向いています。片付けが苦手で部屋の中が散らかっている人に、優れたデータベースの設計や運営はできません。

●セキュリティエンジニア

・どんな仕事か

ＩＴシステムが企業活動や社会生活を支える重要なインフラとなっている今、セキュリティは最重要ともいえる課題です。

サイバー攻撃と呼ばれるものには、業務を妨害するものからシステムを人質にとって身代金を要求するもの、情報を盗み取ろうとするものなどさまざまなものがあります。いったん被害に遭えば、製品情報や個人情報の流出、信用の失墜、賠償金支払いなどによる経理上の負担などが重くのしかかり、場合によっては経営の屋台骨を揺るがすような事態にもつながりかねません。

セキュリティエンジニアはこうした脅威に対して、セキュリティの専門家としてＩＴシステムを守ることが仕事です。その存在価値はデータ活用の進展と比例して年々大きくなっています。セキュリティに配慮したファイアウォールの設計やセキュリティ機器の選択、システムの運用監視、サイバー攻撃を未然に防ぐための調査や社内教育、改善などを行います。また最近では、外部からの脅威だけでなく内部からアクセス権限を偽って侵入するような事件も起こっていて、その点でのセキュリティ対策も重要になっています。

セキュリティシステムの設計にあたっては、システムエンジニアの設計した仕様に基づいて構築されているサーバーやネットワークの構成や機器の設定、運用のルールなどに問題がないかどうかをチェックして改善を求めたり、すでに稼働しているシステムの場合にはペネトレーションテストと呼ばれる模擬的な攻撃を行って、問題がないかどうかをチェックし改善を進めたりします。

またシステムの運用時には、ログと呼ばれるコンピュータやサーバーなどの稼働状況を記録したファイルを常時監視して怪しいものや不正なものがないかどうかをチェックします。ケースによっては経営層に向かって緊急に外部からのアクセスを遮断するべき、といった進言を行うことも必要になります。

サイバー攻撃を仕掛ける側は、常に新たな手法を開発して使ってくるので、世界の最新の動きに目を配って情報をキャッチし、対処法を学び続けることが必要です。また、社内からのアクセスについては、システムごとに誰にどこまで許可するかといったことも考えながら検討を進めていかなければなりません。責任は非常に大きいですが、それだけにやりがいもあります。

・特にどんな力が求められるか

セキュリティエンジニアに求められるのは、システムを守り抜く強い責任感と同時に、サイバーセキュリティに関する最新の情報に目を配り、セキュリティシステムを常に効果的なものとしてアップデートしていく対応力です。

セキュリティシステムは、会社業務の快適な遂行とは両立しにくい面をもっています。単に厳重な防御態勢を敷き、少しでも怪しければすぐにネットワークを遮断するといった対処では、会社業務やサービス提供に大きな支障をきたします。どう防御とサービス維持のバランスを取るか、判断力も問われます。

またセキュリティエンジニアには、最新の情報を常にキャッチアップしていく好奇心と向上心も求められます。英語圏からの情報提供が多いので、英語が読めればそれだけ新しい情報が手に入りやすくなります。

・どんな人に向いているか

サイバー攻撃に遭遇してシステムに異常が出るといったピンチは突然訪れます。しかもすばやく対応しなければ、被害が刻々と拡大するという場面にも立ち会うことになります。そんなときでも慌てずに対処できる冷静さを保てる人でなければなりません。胆力が必要です。

●クラウドエンジニア

・どんな仕事か

最近「クラウド」とか「クラウドサービス」という言葉をよく耳にすると思います。

手元のスマートフォンやPCにソフトウェアやデータの用意がなくても、インターネット経由のサービスとして利用できるというものです。利用者からは、いろいろなサービスが使えるけれどインターネットの先がどのようになっているか見えず、ただ雲のように頭上に広がっているイメージであることから「cloud＝雲」という名前が付きました。

Gmailは代表的なクラウドサービスで、メールソフトもデータもすべてクラウドで提供されるので、自宅のＰＣでも出先のスマートフォンでもインターネット環境さえあれば、Ｅメールを快適に使いこなすことができます。

企業から個人まで、クラウドサービスの利用は爆発的といってもいいほど拡大しています。民間の調査会社の推計では、２０２０年度に2兆８７５０億円だった国内クラウド市場は２０２２年度には推計４兆１７４７億円へと拡大し、２０２５年度には６兆６５７９億円に達すると予想されています（ＭＭ総研、2021年6月公表データ）。

これはものすごい伸び方で、実際個人が普段使っているいろいろなサービスもクラウドによるものが増えています。少し前まではソフトウェアを購入してＰＣにインストールしていましたが、今は月額の利用料を払うだけで、クラウドサービスを使っているという人が多いと思います。

企業のＩＴシステムもクラウド利用が増えています。総資産額で日本1位の民間銀行である三菱ＵＦＪ銀行は、２０１７年から銀行の業務システムの一部をクラウドに移行しています。三井住友銀行でも積極的なクラウドへの移行を表明して実施を始めています。最も高い安全性・安定性が求められる銀行システムが次々とクラウドに移行していることは、クラウドの信頼性が高まっていることを示すものであり、今後もあらゆる産業、個人でクラウド利用が増えていくのは間違いありません。

現在のクラウドサービスの代表格は、アマゾンの「Amazon Web Services（ＡＷＳ）」やグーグルの「Google Cloud Platform（ＧＣＰ）」、マイクロソフト社の「Microsoft Azure」の３つです。先の三菱ＵＦＪ銀行も、ＡＷＳやAzureを採用しています。

クラウドサービスはどこまでをクラウドサービスに依存するかによって、３つのタイプに分かれます。

１つ目はＳａａＳ（サース：Software as a Service）です。電子メールや、企業内の業務効率化のためのソフトウェア、さらに顧客管理や財務会計などのソフトウェアの提供をしてくれるサービスで、ソフトウェアだけを利用するものです。２つ目はＰａａＳ（パース：Platform as a Service）。アプリケーションだけでなく、その実行用のプラットフォーム機能も提供してくれるサービスです。３つ目はＩａａＳ（イアース：Infrastructure as a Service）。仮想のデスクトップや共有ディスクなど、ハードウェアやインフラ機能の提供まで行ってくれるサービスです。

タイプはいろいろですが、手元に持つ物理的なハードウェアやソフトウェアを最小限にしながら、必要とするシステムを必要なときに必要なだけサービスとして利用するというのがクラウドです。これを使えば、ソフトウェアを買い換えてバージョンアップしたり、物理的なハードウェアの追加や整備・運用保守に費やされていたコストや手間を大きく削減できます。従来の、自社内にサーバーを含むインフラ全般を置いて管理するスタイルをオンプレミス（オンプレ）と呼びますが、そこからクラウドへ移行するクラウドシフトは、「所有より利用」という時代の大きな追い風を受けてますます活発になっています。

このクラウドシフトの担い手がクラウドエンジニアです。

クラウドエンジニアはまず現状のＩＴシステムやサービスが安定的・効率的に動作する環境を整えられるよう、サーバーやネットワークといったインフラをクラウド上で設計します。具体的には、システムエンジニアの作成した設計書に基づき、クラウド製品を選択し、それに沿ってサーバーやストレージの設定、データベースの構築、ソフトウェアの導入・設定などを行います。オンプレミスで運用しているインフラを一気にクラウドへ移行するのではなく、一定の期間はオンプレミスとクラウドを併用し、徐々に移行するということもあるので、その場合は、どのように拡張していくかを考えながら設計していくことになります。

オンプレミスでのシステム構築は、サーバー、ネットワーク、データベースなど専門のエンジニアが分担して進めました。しかしクラウド利用の場合は、クラウドエンジニアがインフラ構築全体の作業を単独で行うことになります。

また、クラウド環境ではサーバーの仮想化といった技術が使われます。

「仮想化」と聞くと難しそうですが、例えばサーバーの仮想化というのは、ソフトウェアを使うことによって1台のサーバーがあたかも複数のサーバーのように振る舞えるようにする技術です。ベースとなる1台のサーバーを「物理サーバー」、仮想化されたサーバーを「仮想サーバー」と呼びます。物理サーバーを使っている場合は、サーバーの仕事量が大きくなった時点で新たにサーバーを導入し台数を増やす必要があります。でも、仮想サーバーなら、ソフトウェアの設定を変えることで、見せかけの台数を増やすことができてしまうわけです。もちろん、いくら仮想サーバーの台数を増やしても、物理サーバーがもつ性能の合計を超えることはできません。ただ、サーバーの能力をアプリケーションごとに効率よく割り当てて、まんべんなく有効に使おうという試みで合理的です。

サーバーの仮想化は、クラウド環境を構築するうえでの基本的な技術で、クラウドエンジニアにとって重要な知識です。

また、システムの構築後には、各種のＩＴサービスが安定して稼働できるように、運用・保守を行います。クラウド環境は利用に応じて課金されるのが一般的なので、運用状況をつかんでコスト管理を進めることも重要な役割になります。

・特にどんな力が求められるか

クラウドエンジニアとして働くには、サーバーエンジニアやネットワークエンジニアといったインフラ系エンジニアとしての基礎的な知識に加えて、データベースに関する知識やスキルも必要になります。主要なクラウド製品を使いこなすための知識と経験も必要です。

・どんな人に向いているか

クラウドエンジニアの特徴は、インフラ構築全般やデータベースなど、ＩＴシステムに関する幅広い知識が求められるところにあります。また、仮想化技術などは、現在のインフラ構築に関する最先端の領域でもあります。知識欲が旺盛で、何か一つの領域に特化するよりも、ＩＴシステム構築について総合的なスキルを身につけたいという人に向いているといえます。「あいつに聞けばなんでも分かる」という存在であることを理想にしている人、誰よりもいちばんの物知りでいたい人にふさわしいと思います。

開発系エンジニア

サーバーやネットワーク、セキュリティなどのインフラ系の基盤を作るＩＴエンジニアに対して、そのインフラのうえで動くシステムやアプリケーションを用意するのが開発系エンジニアと呼ばれる人たちです。Ｗｅｂエンジニア、制御・組み込みエンジニア、アプリケーションエンジニアの3タイプに分かれます。

●Webエンジニア

・どんな仕事か

WebサイトやWebアプリケーションといったWeb上で使うシステムの開発を専門的に行うシステムエンジニアです。

Webアプリケーションと呼ばれるものには、情報の検索、インターネットバンキングなどの金融サービス、チケットの予約など、データベースと連動してリアルタイムにサービスを提供するさまざまなシステムがあります。TwitterやFacebook、InstagramなどのSNSや通販サイトもすべてWebアプリケーションが担っています。要するにブラウザと呼ばれるWebサイトを閲覧するためのソフトウェアを使って、インターネットを通して利用するアプリケーションのことです。「ソフトウェア」と「アプリケーション」って何が違うんだっけ?と疑問に思うかもしれません。

パソコンやモニター、キーボード、マウスなどの目に見える物理的な装置をハードウェアと呼ぶのに対して、ソフトウェアというのはそれらの機器によって動くプログラムのことを指します。目には見えません。このソフトウェアには、コンピュータを制御するプログラムであるシステムソフトウェア、ハード機器を動かすプログラムであるファームウェア、そして、ワードやエクセルといった目的に応じてプログラムを応用したアプリケーションソフトウェアがあります。つまりアプリケーションは、アプリケーションソフトウェアという正式の名前にも示されているように、ソフトウェアという大きな括りのなかの一つで、絞り込まれた機能を果たすために作られたものということです。

そのなかでもＷｅｂ上で動くものをＷｅｂアプリケーションと呼びます。

今Ｗｅｂサイトは、各企業と企業が提供するサービスを利用したり商品を購入するユーザーとの接点として、重要性は増す一方です。企業としては、いかにアクセス数を増やし、そこでユーザーに提供する体験を魅力的なものにするか、ということが売上拡大の大きなポイントになっています。特にコロナ禍で対面での接点を縮小せざるを得ないなか、Ｗｅｂ上での接点は重要性を増し、営業やマーケティングの主戦場だという見方もあります。

例えばコロナ禍で開催ができない見本市に変わるものとして「Ｗｅｂ見本市」のシステムが開発されました。まるで実際の見本市会場を訪ねて出展企業の間を歩くように、興味をもった企業の製品をクリックすると細部が見られたり、説明が表示されたり、さらに希望すれば担当者と直接会話することもできる、といった仕組みです。

コロナ禍でも、訪問者にとっては探しているサービスや商品を一度に比較検討できるチャンスになり、また出展者もユーザーに直接商品について説明することができたりします。さらにＷｅｂサイトの特性を利用すれば、ユーザーが会場内でどんな情報を得ようとしたか、何と比較したかといった動きも詳しく知ることができるので、ユーザーの分析が深まりその後の営業活動に活かせるデータも手に入ります。

企業のセールス活動のなかでＷｅｂサイトはいよいよ重要性を増していて、提供するサービスは多彩になりました。その開発を先頭で担っているのがＷｅｂエンジニアなのです。

Ｗｅｂエンジニアはフロントエンドエンジニアとバックエンドエンジニアの２つに分かれます。

フロントエンドエンジニアは実際にユーザーの目に触れユーザーが操作をする部分の開

発を担当する人です。ユーザーインターフェース（ＵＩ）とか、ユーザーエクスペリエンス（ＵＸ）などと呼ばれる領域を担当します。ＥＣサイトであれば、トップページをどういうデザインにするかとかどこをクリックするとどういう画面に切り替わるのかといったことを設計し、作りあげていきます。文字や画像のレイアウトなど、デザイン面も担当します。

バックエンドエンジニアはユーザーからは見えない裏側のサーバーやデータベースと連携する部分の開発を担うエンジニアです。ＥＣサイトであれば、商品の検索システムや決済処理のシステムを作ったり、ユーザー認証などサーバー側で動作するシステムを開発します。

Ｗｅｂシステムはほかの業務用のシステム開発に比べてプロジェクトの規模が小さいので、システムの企画から設計、サーバーの選定、デザイン、コーディング、テスト、実装という工程すべてを１人で担うこともあります。

・特にどんな力が求められるか

Ｗｅｂエンジニアにまず求められるのは、どういうものを作りたいのかという上流工程の意向をきちんと把握するコミュニケーション力です。開発工程を一緒に担うチームメンバーとの意思疎通という点でもコミュニケーション力は必須です。

さらに要望をどのようなシステムとして作りあげるのか、論理的な思考力も欠かせません。また、Ｗｅｂエンジニアは実際にプログラミングもするので、プログラミング言語についても知識をもっておく必要があります。

そのほかＷｅｂエンジニアは、システムの設計から実装・運用までを通して担うことも多いので、サーバー、データベース、セキュリティについても一通りの知識をもっておくことが求められます。

なんだ、全部いるんだ、大変だと感じるかもしれません。しかしほかのＩＴエンジニアと同様、実務のなかで少しずつ覚えていくことができます。

・どんな人に向いているか

Ｗｅｂアプリはまだまだ未開拓の部分がたくさんあります。人々の生活や行動に興味をもち「こんなことができたらいいな」と感じたり、サイト画面がこんなふうに動いたら楽しいだろうといろいろ思い浮かぶような人はこの仕事に向いています。エンジニアとしての技術的な知識への関心だけでなく、ユーザー側の楽しむ気持ちを持ち続けられる人です。ゲームが好きな人にも向いていると思います。

●制御・組み込みエンジニア

・どんな仕事か

車や家電製品といった機械に組み込むシステムの開発を専門に行うシステムエンジニアです。

車を例にとれば車の制御というのは走る、曲がる、止まるといったシンプルな機能が大部分を占めていて、ドライバーが機械を通してワイヤーで引っ張ったり弁を開け閉めしたりしていたアナログな機械だったわけです。ところが今はオートマチックトランスミッション、アンチロックブレーキ、電動パワーステアリング、パワーウィンドウやエアコン、エアバッグ、さらにはカーオーディオ、カーナビゲーションシステムなどの車載機器の制御、自動運転アシスト、自動緊急ブレーキシステムなど機械の動きを制御するコンピュータユニットが多数搭載されています。その量は1台の車で１００ユニットに上るといわれ、制御のためのソフトウェアの合計ラインは1億行に及ぶともいわれています。自動車は今や走るコンピュータです。

駐車支援システムも本格化しています。ドライバーが何もしなくてもあの難しい縦列駐車もやってくれます。スピードも微妙に変えながら方向を変えるわけで、つまりハンドルとアクセルとブレーキをちゃんと関連付けて制御しているんです。大きなコンピュータを積んでいるわけでもないのにすごいシステムです。

ロボット掃除機も優秀です。あっちでテーブルの脚にぶつかり、こっちで壁にぶつかったりしながら学習し、動きの精度を高めていきます。最初に間取り図や家具の配置を覚えさせるわけではありません。試行錯誤しながら自分で地図を作っていくわけです。それをあの小さな機械の中のコンピュータでやっているんです。

ほかにも洗濯機や炊飯器、エアコンなどの家電製品、工場に設置されたさまざまな機械などの中に小さなコンピュータが組み込まれ、これらが機械の動きを制御していきます。「モノのインターネット」と呼ばれるＩｏＴがさらに進化すれば、組み込みシステムはますます増えそれを扱うエンジニアに対する需要も増えていきます。

パソコン上で動く一般的なシステムは人が相手といえますが、組み込みシステムが相手にするのは機械です。制御する内容は定型的で単純なものが多いのですが（例えば温度とか回転数とか進む方向とか）、求められる回答の精度は高く、また処理速度が非常に速くなければならない場合もあります。

例えば自動車のエンジン制御などはピストンが1回上下する間に、次の燃料噴射量を計算して命令しなければなりません。計算内容は単純でも、ものすごいスピードが要求されます。ピストンは1秒で数十回上下し、しかも組み込みですから大きなものにすることができません。搭載するメモリなども小さくせざるを得ないので、ハード・ソフトともに開発の難易度は高いんです。

こうしたものを手がける制御・組み込みエンジニアの仕事は、まず組み込み製品の企画に始まり、システム設計、ハードウェア・ソフトウェアの設計、プログラミング、テスト、保守といった流れで進みます。この工程は開発を任務とするほかのエンジニアとほぼ同じです。

しかしなんといっても大きな違いは、限られた容積やスペックのなかでコンパクトでエラーを起こさない信頼性の高い制御システムを作ることです。そのためには組み込み先のハードウェアについての知識もしっかりもっていなければなりません。電気自動車は別ですが、ガソリン車のエンジンルームは高熱になりますしモーターが入っているような家電は熱や振動があります。それに耐えるハードウェアでなければなりません。

組み込みシステムは今後、家電製品だけでなく、産業機械や情報・通信機器などのハードウェアにどんどん搭載されていきます。人相手のシステム開発とは大きな違いがあることから専門性が高く、また現在でも人手不足になっているので、ますます需要が高まっていきます。活躍の機会はたくさんあります。

・特にどんな力が求められるか

組み込み先となる機械設備についての興味や知識が必要です。また、センサーと一体で制御システムを考えていくので、センサーについての知識も求められます。あとは論理的な思考力。「この情報があれば、こう動かすことができる」というロジックを組み立てながら制御システムを設計していくことになるからです。

・どんな人に向いているか

機械が好きでモノづくりが好きな人に向いています。組み込みエンジニアは、システム単独ではなく、一個の機械を完成させる仕事であり、モノづくりに直接関わります。こんなモノを作りたいという目標を自分のなかにもって、難しいことも簡単に諦めず、粘り強く取り組める人に向いています。小さなロボット作りなどでワクワクしていた人にはぴったりです。

●アプリケーションエンジニア

・どんな仕事か

企業で利用される業務用アプリケーションやスマートフォンのアプリケーションの開発を専門的に行うシステムエンジニアです。

業務用アプリケーションというのはクライアントが行うさまざまな業務をサポートするソフトウェアのことです。営業や販売管理、経理、人事などあらゆる分野の業務を支え効率化します。予約・発券システムや金融機関のＡＴＭなどを動かしているのも業務用アプリケーションです。

一方、スマートフォンやタブレットの端末にインストールして使うアプリケーションはネイティブアプリと呼ばれます。端末のホーム画面からGoogle PlayやApp Storeにアクセスしてインストールして使用するものです。カメラや位置情報といったスマートフォンの機能を活かしたさまざまなアプリがあり、活用している人も多いと思います。

ネイティブアプリはＷｅｂアプリに似ていますが、ＷｅｂアプリがブラウザをÅ使ってインターネット上で利用されるものであるのに対して、ネイティブアプリは端末上で動きます。そのためインターネットに接続していなくても使うことができます。

スマートフォンの世帯普及率が87％に達し、10、20代ではほぼ１００％という時代です（総務省「情報通信白書」２０２１年）。ブラウザよりもアプリの閲覧時間のほうが長く、多くの人がスマホアプリを利用しています。ネイティブアプリ開発の需要はさらに拡大していくと考えられ、エンジニアの活躍の余地は大きなものがあります。

アプリケーションの開発工程はほかのシステム開発やＷｅｂアプリ開発と基本的には同じです。エンジニアの仕事としては、システム設計からプログラムの開発、開発したシステムの動作テスト、運用保守といった一連の作業を担当します。

ふとしたアイデアを現実のものにして、目に見えるシステムにして世の中に出したときは、アプリケーションエンジニアとして大きなやりがいを感じられる瞬間です。

・特にどんな力が求められるか

ユーザーが求めていることはどんなことか、自分が作りたいものではなくてユーザーが欲しいと思っているものを想像する力が必要です。

また、システムエンジニアが、開発の上流工程で主に設計を担当するのに対して、アプリケーションエンジニアは、上流からプログラムを書くコーディングを含めて実際の開発工程全体を担います。そのため、プログラミング言語やネットワーク、データベースなど開発に関連する幅広い知識が必要になります。

・どんな人に向いているか

アプリケーションエンジニアの仕事は、常にそのアプリケーションを使う人のことを思って進める仕事です。こうだったら作業が大幅に効率化できるなとか、便利で楽しいなという想像力を働かせながらユーザーのために工夫を重ねます。人を喜ばせるのが好き、という人に向いています。

●プログラマー

・どんな仕事か

プログラマーは、システムエンジニアが描いた設計図どおりにシステムが動くように、コンピュータへの命令書を作る人です。

コンピュータは、家庭の一般的なPCでも簡単な四則計算なら1秒間に1億回くらいできるといわれています。とてつもない高速計算機ですが、命令書がなければただの箱に過ぎません。何をどう計算するのか、指示することが必要です。

ただしコンピュータは「自然言語」と呼ばれる人間の言葉は理解できません。口で言ってもダメで、「プログラミング言語」と呼ばれる特別な言語しか理解できないので、命令書はそれを使って作ります。

プログラミング言語には簡単な文法上の約束がありますが、英語やフランス語、中国語といった人間が話す外国語のような複雑なものではありませんから、習得は決して難しくはありません。何百という種類があり、そのなかでよく使われているものは10種類程度です。なかでも高い頻度で使われているのが「Python」「Java」「C言語」「JavaScript」「Swift」「Go」「PHP」「C++」「Ruby」といったものです。それぞれＷｅｂアプリ作成、業務用システム、人工知能など、よく利用される分野があります。

「JavaScript」などはどのＰＣにもあるブラウザと呼ばれるＷｅｂサイト閲覧ソフトがそのままで命令として読み取ってくれるので、プログラミングの体験が誰でも簡単にできます。一度試してみるとプログラミングってこういうことか、簡単だなと実感できるはずです。

プログラマーはこうしたプログラミング言語を操りながら、システムエンジニアが設計した仕様書に基づいて命令の入力（コーディングともいいます）を行っていきます。完成後は設計どおりに動作するかのテストや、バグ（英語で虫のこと。プログラム上の誤り）を見つけて修正する作業も担います。

退屈な単純作業のように見えますが、実はとても複雑です。

なぜならプログラムは直接見えるものではなく、結果としてシステムエンジニアが期待したような機能を果たせばいいので、命令の仕方には幅があります。誰でも同じ命令を同じように入力するだけなら確かに退屈ですが、プログラミングって、実は自由度が高く、プログラマーによって個性が出ます。最終的な目的は同じでもAという命令の仕方、Bという命令の仕方などがあり、それはプログラマーの考え方や好み次第なんです。

簡単な例を挙げてみます。

例えば1から5までの数字がバラバラに、仮に2、4、1、3、5と並んでいたとします。これを小さい順に並べるにはどういう命令をしたらいいかというと、1つのやり方は「最小のものを選び続けなさい」と命じるやり方です。するとコンピュータは5つの数字のなかの最小は1ですから、まず1を引っ張りだしてきます。次に、残りの2、4、3、5のなかからまたいちばん小さい2を選んで1の横に並べます。残りは4、3、5です。またこのなかから最小のものを選ぶと3です。1と2の次に並べます。最後に4、5から小さいほうを選ぶと4です。これで1から5まで順番に並びます。

方法はほかにもあります。「隣同士を比較して、小さいほうを選びなさい」と命令するのです。コンピュータはまず2、4、1、3、5の、最初の2つである2と4を比べます。これは2のほうが小さいからこの順番のままです。次に4と1を比べます。これは1、4と逆にしなければなりません。すると2、1、4、3、5と並びます。2と1を比べると1が小さいので、1と2は入れ替えます。これで1、2、4、3、5になりました。1、2はＯＫですが、次の4と3は3のほうが小さいので入れ替えが必要です。4、5はこのままでＯＫなのでこれで1から5まで、小さい順に並びます。

方法はまだあります。「数字を一対一で照らし合わせて、その都度、適切な位置に置いていきなさい」と命じるやり方です。

まず2、4、1、3、5の2を取り出し、4と比べます。4のほうが大きいので2の次に置きます。次に1を取り出し、2と4とそれぞれ比べます。4より小さく、さらに2よりも小さいので、1は2の前に置かれます。ここまでで1、2、4と並びました。次に3を取り出します。3を1と2と4とそれぞれ比べます。1より大きいので1の次に、さらに2よりも大きいので2の次に、4よりは小さいので最終的には2と4の間に置かれます。最後に5を取り出してまた1から順に一対一で比較していくと、適切な場所は最後ということになります。これで1から順に並びました。

バラバラに並んだ数字を小さなほうから順に並べるための命令の仕方でも、以上のようにいくつもあってこれはプログラマーの選択次第なんです。

ゴールに向かってまずこの要素でふるいにかけ、次はこの条件で比較して絞り込み……といったことを検討し、最短でかつ誤りの少ない筋道を考えていきます。

また、コードの書き方も人それぞれです。1行が長いとか逆に改行が多いとか、プログラムを見ただけで、プログラマーの個性が分かり、書いたのが誰か分かるといわれます。

期待された機能が発揮できればいいとはいうものの、プログラムはあとで部分的に修正したり、追加が必要になったりするものです。書いた人とは別の人がプログラムを見てそれに手を加えることも多いので、すっきりとしていて見やすいことはもちろん、意図が明確であとから変更しやすい「美しいコード」を書くこともプログラマーの大切な仕事です。

プログラマーは人とコンピュータをつなぐ役割を果たします。その圧倒的な計算パワーを自在に操るのはプログラマーであり、自分が作ったプログラムどおりにコンピュータが仕事をしたときの充実感と爽快感はとても大きなものがあります。なんといっても1秒間に1億回も計算するスーパーパワーを自分の思いどおりにできるんですから。

・特にどんな力が求められるか

論理的な思考力が必要です。どういう命令にすれば、求める結果が導き出せるのか、論理的に組み立てていくことが求められます。

また、その命令書は膨大になり一カ所でも間違いは許されませんから、粘り強さと集中力が必要です。

さらにシステムエンジニアや、システム上で連携するほかの部分でコーディングを担うプログラマーとの打ち合わせなども必要になるので、コミュニケーション力も求められます。

プログラミング言語を覚えたり、実際にコードを書くことを「食わず嫌い」で大変そうと感じている人は多いかもしれません。でも決して難しいことではなく、理系でなければ分からないものでも、数学の複雑な方程式の知識が必要になるようなものでもありません。簡単なプログラムなら1時間で組むこともできます。どんどん挑戦していけば、自分の指示どおりにコンピュータが動く醍醐味を感じて、次に挑戦する意欲も湧いてきます。

「やってみよう」という積極性がいちばん大切です。

・どんな人に向いているか

プログラマーは開発するものの種類によってさまざまなプログラミング言語を使い分けることになります。この言語はどうなっているのだろう、どんな考えでできているのだろうと、好奇心をもちながら複数の言語を覚えて使いこなす積極性や向上心が必要です。

今、日本ではプログラミングのスキルをもった人材が不足しています。

「でも、今後プログラミングはＡＩによって自動化されていくらしいから、仕事がなくなるんじゃない？」と考える人がいますが、ごく汎用的な機能については自動化が進んでも、プログラミングの仕事がなくなることはありません。特にこれからはデータの分析が重要になってきます。その領域ではこれからもニーズが拡大され、プログラマーが必要とされていきます。

●テストエンジニア

・どんな仕事か

開発中のシステムのテストの計画からテスト設計、テスト実施、改善提案までの工程を請け負うシステムテストの専門職です。プログラマーが実施するケースもありますが、最近では品質やセキュリティが重視され、知識が豊富なテストエンジニアが担当する傾向が高まっています。テストの実施に特化した担当者は「テスター」と呼ばれます。

テストエンジニアの仕事は何かをゼロからつくりあげるものではなく地味な印象ですが、テストを担当すると、システムの全容が分かるだけでなくプログラマーの意図やコードの書き方といった知識を吸収する絶好の機会になります。そのため、ITエンジニアとしてこれから歩き出すという新人の最初の持ち場となることが少なくありません。

・特にどんな力が求められるか

各工程の仕様書やクライアントへの説明資料など多数のドキュメントを作成するため、見やすく要点を的確にとらえたドキュメント作成スキルが必要です。また、テスト環境を構築するときにプログラミングをするケースもあるので、基礎的なプログラミングスキルをもち、設計書を読み込みながら、どのようなテストケースが必要かを想定できる力が必要です。

・どんな人に向いているか

集中力がある人です。テストは単純作業の繰り返しとなる場合があります。それでも集中して、問題を見逃さないことです。また、開発チームに対して、バグやテスト結果の報告を正確に行うことが必要なので、細部をおろそかにしない緻密さも必要です。

●セールスエンジニア

・どんな仕事か

システムやＩＴ製品の営業の場面で営業担当だけではカバーできないエンジニア目線での専門的な知識で営業活動のサポートを行います。プリセールスエンジニアと呼ばれることもあります。販売を担当するセールス（営業）と技術的な知識をもつエンジニア（技術者）の両方の要素をもち、クライアントに対して自社製品の導入提案や導入後のサポート業務を担います。これまではセールスはセールス、エンジニアはエンジニアという大きな区別がありました。しかしＩＴの世界の進化は早く、クライアントからの問い合わせや要望も、より専門的なものに変わってきています。営業場面でもこうした技術的な知識が必要になり、セールスエンジニアという存在がクローズアップされています。

・特にどんな力が求められるか

セールスエンジニアには、専門的な技術知識と同時に営業スキルが求められます。クライアントの要望や課題を的確に聞き取るヒアリング力、専門的な製品内容を分かりやすくしかも魅力的に伝えるプレゼンテーション力も欠かせません。

技術的には欠かせない要素であっても、最高の仕様をクライアントに求めれば価格が上がって契約に至らないというケースもあります。セールスエンジニアとしても、単に技術的な必要性にこだわるのではなく、技術と価格の両面からバランスの取れた判断ができることが必要です。

・どんな人に向いているか

難しいことをかみ砕いて説明し、納得してもらうというコミュニケーションが楽しめる人に向いています。営業の助けになり、ひいては会社の業績を向上させたいという経営的な視点をもつこともセールスエンジニアとして活躍するためには欠かせません。2つの力をバランスよく両立させることに面白さを感じられる人に向いています。

●サポートエンジニア

・どんな仕事か

ＩＴシステムを利用するうえで生じるさまざまな疑問を解決したり、ユーザーをサポートするための仕事です。企業、あるいは一般ユーザーどちらの対応もあり、メールやチャット、電話、出張などでアフターケアを行います。システムエンジニアやプログラマー、テストエンジニアなどとは異なり、システム開発の工程には携わりません。

具体的にはエンドユーザーからの問い合わせ対応全般を行う「カスタマーサポート」、製品やサービスに関する技術寄りのサポートを行う「テクニカルサポート」、現地へ出向いて製品・サービスの保守サポートを行う「フィールドエンジニア」といった職種があります。

顧客やユーザーと直接やりとりするため、対応が製品やサービスへの満足度に直結します。問題を的確に解決に導いたときには顧客から感謝の言葉をもらえることもあります。

ほかの開発工程ではなかなか得られない経験です。

・特にどんな力が求められるか

なんといってもコミュニケーション力が重要です。顧客やユーザーと直接会話をするので、説明力・ヒアリング力などの幅広いコミュニケーション力が求められるからです。

また、開発には携わらないとはいえ、製品やサービスの概要を理解するための最低限のＩＴ知識は必要です。特にテクニカルサポートやフィールドエンジニアは製品に関する専門的な知識を身につける必要があります。

・どんな人に向いているか

問い合わせのなかには、抗議やクレームをしてくる人もいます。いつも冷静を保つことができる人であることは大切です。また、困っている人に対して共感力のある人が求められます。「お困りですよね。なんとかします」という気持ちになれることです。

［第4章］

地方でこそITエンジニアは活躍できる

地方で深刻化している人手不足

知っている人も多いと思いますが、２００８年から日本の総人口の減少が始まっています。２０２０年1月の時点で全国の人口は1億２７１３万人余りで、これは前の年に比べると50万５０００人も減っているんです。たった1年で、ほとんど鳥取県の人口に相当する人が消えてしまったわけです。つい日本大丈夫だろうか?と思ってしまいますが、この先も大幅な減少が毎年続いていくのは明らかで２０６０年には８６７４万人まで減るといわれているんです。

この数は１９５０年の８３２０万人に近いです。「人口が増え過ぎたから多少減っても、すっきりスリムになったところからまた再スタートすればいいんじゃない?」と思う人がいるかもしれません。

でも、そうはいかないんです。数は似通っていても、戦後間もなくと今では人口の構成が全然違うからで、１９５０年の総人口のうち0歳~64歳が占める割合は95%でした。65歳以上はわずか5%なんです。若々しくていかにもパワフルです。ところが、２０６０年の人口構成の予想では、０歳～64歳が占める割合は60％、65歳以上の高齢者が40％を占めるんです。しかもこの高齢者の3分の2は75歳以上です。医療や介護を必要とする人が多いということになります。

人口が大きく減るだけではなく高齢化率が急上昇するので、ここから再スタートして１９５０年代のように盛り返すのはどう考えても難しいです。

東京、名古屋、大阪の３大都市圏とか地方中核都市といわれているところは、まだいいんです。特に3大都市圏の合計では、戦後ほとんどの期間で転入超過ですから、人口は増え続けているわけです。コロナ禍で東京都からの転出者が増えたことがニュースになりましたが、半数以上が隣接する3県への転出で、結局東京圏全体の人口は減っていません。それ以外の地方都市では、人口減少と高齢化がどんどん進んでいます。

僕の地元である青森県をみても、１９８３年の約１５３万人をピークにほぼ減少が続き、２０２０年には約１２３万人になりました。特に最近5年間は毎年1万５０００人を超える減少がコンスタントに続いています。高齢化率は全国平均の29％を大きく上回る約34％です。２０４５年には、青森県の人口は82万４０００人にまで減少し、そのとき15歳～64歳の生産年齢人口が37万１０００人、65歳以上の老年人口が38万５０００人となって、国勢調査が始まって以来初めて老年人口が生産年齢人口を上回ると予想されているんです。人口の半分以上が高齢者になります。医療費や健康保険、介護保険も行き詰まってしまいかねません。

僕の出身地の十和田市も人口問題は深刻です。２０００年の６万９６３０人をピークに年々減少して、２０２１年３月には６万人を割り込みました。２０６０年の予想はピーク時の半分以下の３万３４４９人。東京の明治神宮野球場の収容人数が約３万１０００人ですから、市民のほぼ全員を集めてようやく満員になります。

「消滅可能性都市」という言葉があります。日本の地方自治体でなくなってしまう可能性があるところはどのくらいあるかと調査したものです。今、日本郵政の社長をしている増田寛也元総務相など民間の有識者がメンバーになった「日本創成会議」が２０１４年に発表して大きな話題になりました。

「消滅可能性都市」とは、具体的には２０１０年から２０４０年にかけて20歳～39歳の女性人口が5割以下に減少すると予想される自治体のことです。子どもの大半をこの年代の女性が産んでいるので、次の世代の人口を左右するカギはここにあると見て行われた調査です。

公表資料によれば、消滅可能性都市に該当する自治体は全国１７９９自治体のほぼ半数にあたる８９６自治体にも上りました。なかでも青森県、岩手県、秋田県、山形県、島根県の５県については、県内の８割以上の自治体が該当すると警告したんです。「８割以上」とはショックな数字です。

20歳~39歳の女性が減少する理由としては、単に女子の出生数が少ないというだけではなく生まれたけれど県外に出てしまうことも挙げられます。この調査でも県外への転出を約３割と想定しています。

青森県もこの問題に直面しています。僕自身が18歳で東京に出てきてしまったので偉そうにいえないのですが、青森県の県外転出者を年齢別にみると、18歳、20歳、22歳が飛び抜けて多くなっているんです。つまり高校卒業、短大卒業、大学卒業のそれぞれの節目で青森を離れてしまう人が非常に多いということです。実際高校を出て就職した人のうちの41%、また大学に進学した人の58%は県外です。県外で就職し、結婚してそのまま家を持ってという流れになり、地元には戻らないということになっているわけです。

観光振興や工場誘致に効果はあった？

若者の県外転出を食い止めることは、活力ある地方都市を作るために最重要の課題なんです。もちろんこれまでもいろいろな対策が講じられてきました。

でもそれは本当に効果があったのかなと思うんです。

対策の大きな柱は観光客の誘致です。「道の駅」を作ったり、観光のモデルルートを考えてパンフレットを作ったり、特産品の食材を使ったレシピを作ったりいろいろな取り組みがあります。でも全国どこでも同じようなことをしているから、結局観光客の取り合いをしているだけのように感じます。

いい例がB級グルメとかB‐1グランプリだったと思います。2020年に終わりましたが「ゆるキャラグランプリ」もありました。地方同士が競争して、勝ったところは一時の話題になるかもしれませんが、それ以外は「うちのゆるキャラださいよね」みたいなことになって、かえって勢いがなくなってしまいます。実際、ゆるキャラブームはすぐに去って話題になることも減りました。

こういう競争が、本当の意味で地方の活性化につながるとは思えません。しかもコロナ禍のようなことがあれば、旅行客の激減から観光はまったく力を発揮できません。

広い土地を利用して工業団地をつくり、地代や税金を優遇して大手メーカーの工場を誘致するといったことも盛んに行われました。大きな工場ができれば雇用が生まれ、街がにぎわい、部品などを供給する地元の関連企業、下請け企業も潤うかのようにいわれましたが、地元企業は納入価格について厳しい競争を強いられかえって経営を苦しくしてしまう例もありました。さらに大手メーカーの業績悪化によって、突然規模の縮小や撤退ということになって、雇用が失われ周辺が寂れるといったことも起こっています。

大きな郊外型のショッピングセンターも同じです。そこだけは一時にぎわっても、本社の経営の都合で閉鎖になったという例は少なくありません。でも、地元商店街はショッピングセンターに負けて衰退してしまったから今さら復活できません。

結局大手メーカーの工場や大型流通店頼りでは、本当の意味での地元の活性化はできないんです。外部の工場やショッピングセンター、観光客頼みでは、地元は強くならないのではないかと思います。

ＩＴが人手不足を解消する

やっぱり地元の力で地元の魅力的な仕事を作らなければダメなのだと思います。そう考えたとき、今最も必要で有望なのがＩＴ企業だと思うんです。

今、地方にはＩＴ企業がほとんどありません。しかし地方にこそＩＴ企業が必要だし、その存在が地方活性化のカギを握っていると思います。

ＩＴ関連企業が東京に異常に集中していることは、日本の産業界の大きな特徴として知られています。産業別に東京、神奈川、愛知、大阪という大都市圏に占める従業員の割合を調べた経済産業省のデータを見ると、全産業平均では東京が15・6％、神奈川が6・0％、愛知が6・4％、大阪が7・7％となっています。建設業や製造業、生活関連サービス業、運輸業、医療福祉などもだいたい似たような割合ですが、学術研究、専門・技術サービスになると東京が25・1％、金融保険業では26・7％と拡大します。さらに東京の割合が飛び抜けて多いのがＩＴ産業で、なんと51・1％が東京に集中していて、神奈川が7・4％、愛知が4・5％、大阪が9・0％という割合です。東京を中心にＩＴ人材は大都市にばかり偏っていて、地方は非常に少ないんです。

でも、地方にこそＩＴの力が必要です。

例えば行政の仕事です。過疎化や高齢化が進み、広い範囲に住民や高齢者単身世帯が分散しています。さらに鉄道路線の廃止や高齢者の自動車運転免許返納も増えているので、確実に情報を行き渡らせ、行政サービスを届けるには、ＩＴを駆使したコミュニケーションツールが欠かせません。

また、行政に従事する職員が減っているなかでも橋や道路、トンネルなどのインフラ点検や補修の業務を縮小することはできません。もし何かあったら自治体は管理者として大きな責任が問われます。少ない人数でどうするかと考えたら、ドローンや自動車搭載のカメラによる撮影とＡＩを駆使した画像の分析が有効です。まずＩＴを使って危険な箇所をピックアップし、本当に必要なところに優先的に人を投入すればいいわけです。

医療や介護の負担も高齢化とともにどんどん増えていくわけですが、遠隔での健康相談や診療もＩＴの力でいろいろ工夫することができます。

最近始まっているのは、個人がもつスポーツクラブなどで得られる健康関連のデータと医療系の健康診断や治療関係のデータを統合して、健康増進や治療に活かそうという試みです。今までは身近な健康系のデータと病院で得られる医療系のデータはバラバラに管理されていました。でもそれらを一つにできればデータとしての有効性は大きくなるはずです。さらにそこにＡＩによる分析を絡めていけば、個人単位の健康増進策が見えてきて介助を受けなくても日常生活が送れる「健康寿命」を延ばすことにもつながります。こういうこともＩＴの力でできます。

人手不足が深刻化している地方中小企業の経営にもＩＴはとても大事です。

給与計算とか経費精算などの経理事務を代行するＩＴシステムはいくらでもあります。でもまだ地方の中小企業の多くでは、交通費や消耗品などの経費の精算のために出金伝票を細かく書いて提出し、経理がまた計算してという面倒なことを続けていると思います。この経費精算も最新のＩＴシステムを使えば、スマホのカメラでレシートを撮影したらそれですべて終わりです。あとは全部システムが自動で処理してくれます。

物の流通場面でも、受注したら倉庫に発注して出荷して、ストックが減った分の生産計画を立てそのために必要な原材料や部品を発注する、というような出荷・生産・在庫管理も業務システムを導入すればＩＴが一気に処理してくれます。大幅に省力化できるんです。
営業やマーケティングの分野でもデジタル化が進みＩＴが活躍しています。

企業を相手に部品や資材などを売るにしても、一般の消費者向けにいろいろな商品を売るにしても、今購入しようとする人はまずその会社のホームページなどで買いたい商品についての情報集めをします。インターネットがこんなに普及する前は、欲しいものがあればその会社のショールームを訪ねたり、営業マンに連絡して説明を受けたり、カタログなどを取り寄せたりしていました。あるいは小売店に出かけて店頭で品定めをするということをしていたわけです。それしか手がなかったからです。でも今は、まずネットで調べます。性能や仕様もじっくり比較できるし、買った人の評価も出ています。あまりにも褒めているのは「サクラじゃないの？」などと疑いながらも、結構参考になります。

購入者側の行動がまずインターネットへと大きく傾いたことを背景に、Ｗｅｂサイトに来る人を有望な顧客に育てようというマーケティングが進みました。デジタルマーケティングなどと呼ばれます。サイト訪問者がどのページを見たかとか、何回目の訪問かとか、どの記事を読んだかといったサイト上での動きを丹念に追って、どの商品に関心があり、何に疑問や不安をもっているのかを分析して、訪問者が欲しいと思っている情報を提供していくわけです。まるでサイト上で商談をするような感じです。最初は訪問者が誰か、個人までは特定できませんが、それが知りたいと思ってもらえるような魅力的なコンテンツがあればダウンロードしてもらえます。そのときにメールアドレスを登録してもらえば、次からはそのアドレスにニュースやメールマガジンを送ったりすることもできて、だんだん関係が深まっていきやがて購入になるという流れです。商品が事業用の高額なものだったら、途中から直接電話で話したり、面談の機会を設けたりしてセールスを行い契約してもらうということになります。

今までの営業活動がショールームで待ち受けていたり、有望そうな顧客のところを一軒一軒訪問したりするのに比べて、とても効率がいいです。

Ｗｅｂサイト上の行動が精密に分析できていればいるほど、訪問者の期待するとおりの情報の提供ができて、その後の商談がスムーズに進みます。

営業人員が足りない、飛び込みで訪問してもほとんど成果がなく無駄足になる、チラシなどを大量に配布したり販促イベントを行う予算がない、といった悩みは地方の中小企業に多いと思いますが、こんなときデジタルマーケティングを使えば、少ない人員で効果的なマーケティングができます。今は専用のアプリケーションがあるのでそれを導入し、使いこなしていけばいいんです。

ベテランの技術継承にも役立つ

地方で専門的な技術を提供しているような会社の多くが、ベテランの技術者が定年退職するとあとを引き継ぐ若手がいない、という問題を抱えています。そのために注文はあるけれど廃業せざるを得ない、というところすらあります。手遅れにならないうちに、ベテランの技術といわれるものを動画やテキストなどとしてデータ化し、分類して索引を付けて、若手がいつでもどこでも参照できるようなデータベースにしておくといったことも考えられるはずです。ＩＴを駆使すれば、それができるんです。

実際ある企業は開設している「技術サポートセンター」で受け答えをしている社員のほとんどが定年を間近に控えたベテランの技術者ばかりになっていることに危機感をもっていました。地方中小企業の例に漏れず、この会社も若手の人材採用がうまくいかず、あとを引き継ぐ人がいないのです。このままでは技術的な問い合わせに答えることができなくなってしまいます。

そこで取り組んだのがこれまでのユーザーとの受け答えで重要だと思われるものを過去3年間に遡って、当時の日報を基に担当したベテラン社員が不足している情報を補いながらテキスト化するといったものです。

この先はＡＩが活躍しました。テキストを読み取り、テーマ別、製品別、関連技術別などさまざまな角度から分類して索引を付け、いつでも誰でも知りたい項目から過去の応答例や解決方法を参照することができる「手引き書」ができあがったのです。これがあればベテラン社員のこれまでの実績やスキルを受け継いでいくことができます。

また、地方では農業や林業、水産業などの一次産業の割合が高いのですが、ここでも高齢化や人手不足が深刻になっています。この解決にもＩＴは大いに役立ちます。種蒔きや収穫、土壌の分析、ビニールハウスの温度・湿度管理など、機械化・自動化できるところは多いし収穫時期の判断や収穫したものの保存や鮮度維持、流通や在庫の管理などもＩＴを組み込むことで効率化・省力化できます。林業でも、ドローンなどを駆使すれば、山に入らなくても生育状況の把握ができます。

自然相手だけに機械化が難しくて人手がかかり、しかもその人たちの経験や勘が頼りと考えられてきた一次産業の継承にも、ＩＴは大いに力を発揮してくれるのです。

身近にＩＴが分かる人がいない

人手不足に悩む地方こそ最もＩＴ化の取り組みが必要で、その効果も大きいのにそれができていません。ＩＴ知識がないためにアイデアが浮かばず、誰かに聞こうと思っても身近にＩＴが分かる相談相手がいない、提案してくれる人がいない、といったことからＩＴ導入に大きく後れを取ってしまっているのです。

もし地元の身近なところにＩＴ企業があったら「こんなことできる？」とか「これロボットに任せられるかな？」といった相談が気軽にできるし、具体的にＩＴ化に取り組むことができます。

しかも遠く離れた都会の見ず知らずの企業ではなく、地元に根付いたＩＴ企業なら細かい話をしなくてもお互いの事情や状況が分かるので、そこまでは必要ないとか今回はここまでやってみましょうといった柔軟な取り組みも可能です。導入後の運用サポートや保守の面でも、地元IT企業ならちょっと寄ってみましたという軽快なフットワークが期待できます。

インターネットを使って全国・全世界に発信したいというときの、ホームページやオウンドメディア（自社メディア）の作り方も相談できます。インターネットが普及することによって、今ではホームページをもっていない企業は世の中に存在していないも同然です。また、仮にホームページがあってもそれが長年更新されていなかったり、古くさいデザインであったりすれば、かえってマイナスのイメージを作ってしまいます。インターネット上でどのように見えるかは非常に重要な要素なんです。日本全国どころか、世界中の人が見るわけです。

しかしこれをわざわざ東京の会社を探して連絡を取り、打ち合わせを重ねて発注するのはとても面倒です。ついつい放ったままになっているというのが現状です。この点でも、地元の身近なIT企業の存在が期待されるんです。

それに地方で大事にされるのは人のつながりです。いくらいい仕事をしそうな会社でも、「都会のよそ者」にはなかなか心を開いてくれません。地方では「地元の○ちゃん」という心の距離の近さがとても大事です。

若い人の県外流出を食い止める力になる

ＩＴ企業は、「業界横断」企業です。ＩＴエンジニアは、業界を問わず活躍できます。地元に立地するすべての企業がお客さまになる可能性をもっているんです。地方は市場規模が小さいと考えられがちですが、全部の企業・団体が相手となればその規模は決して小さくありません。しかも、ＩＴ企業は距離が離れていても仕事を受注したり納品したりすることができます。地方にいても地元の仕事に加えて大都市圏の仕事ができます。地方にいるということがハンディキャップになることはありません。しかもオフィス賃料などは都会とは比較にならないほど安く済みます。この意味でも地方こそＩＴ企業にチャンスがあり、ＩＴエンジニアが活躍できる場所といえるんです。

さらに地元で活躍するＩＴ企業は「ＩＴの仕事に就きたいのに、地元にないから東京に出て行かざるを得ない」という現在の状況を変える力になります。これまではＩＴ志望と決めた途端に、東京などの大都市に出て行かなければなりませんでした。

しかしもし地元にＩＴ企業があったら、暮らしやすく、食べ物もおいしく、気心の知れた友達がたくさんいる土地の魅力を感じながら働くチャンスを得ることができるので、若者の県外流出を止める力にもなります。

またＩＴ企業は女性にとって働きやすい場所です。地元の就職先として大手メーカーの工場しかないとか、建設会社や電気工事会社が多いというのはどの地方でも似たような状況だと思いますが、こうなると女性の就職先はすごく限られてしまいます。ＩＴ企業ならＰＣ１台あればよく、場所にも縛られないので子育てしながらでも働きやすいです。女性の地元定着という意味でもＩＴ企業の存在は大きな価値があります。

学校でのＩＴ教育もますます重要になっていますが、その人材としても地元にＩＴ企業が多く存在することの意味は大きいはずです。将来にわたってＩＴ人材を地元で継続的に育てていくことができるからです。

僕のところにもサテライトオフィスを置きませんかというお誘いをいくつもの自治体からいただいています。これまでのような大工場や大規模ショッピングセンターではなく、

ＩＴ企業こそ地元に必要だと考える自治体が増えているのは確かだと思います。

すぐに地元でＩＴ企業を起業するのは現実的ではないかもしれません。でもこれからＩＴ企業は増えます。僕自身もどんどん出していくつもりです。業界を問わずＩＴエンジニアを求める地方企業も増えていきますから、狭い意味でのＩＴ企業が地元になくても、ＩＴエンジニア志望として地元企業を目指すのもアリだと思います。

［第5章］

地方で活躍中！
先輩ITエンジニアの成功事例

東京の大学で情報工学を学ぶ

少しずつですが地方でＩＴ企業を立ち上げ、地元に根付いてさまざまなＩＴサービスを担う若い人が増えています。あとに続く人が現れて、ますます拡大してほしいと思っています。

僕と同じ十和田市のある人の例を紹介します。仮にＴさんと呼んでおきます。

Ｔさんは僕と同じ市内の工業高校の出身です。僕と違ってバンドに入れ込むこともなくご両親思いの好青年で、高校卒業時は東京の有名大手企業に就職してまず親を安心させたいと思っていたんです。

目標とする会社のことも在学中からしっかり調べて就職試験に臨んだのですが残念ながら不採用でした。本人はがっくりと肩を落としましたが、ご両親が「慌てなくていいから、もっと勉強して視野を広げ、社会のことも学んだほうがいい。応援するから大学にいけば」とすすめてくれたそうです。それでＴさんは東京の大学に入って、もともと興味があった情報通信工学の勉強をしてシステムエンジニアのスキルを身につけました。

Ｔさんが新卒で就職したのは、エスアイアー（ＳＩｅｒ）と呼ばれるシステム構築を請け負う会社で、決済関係の業務システムを担当する部署に配属されたそうです。

でも彼は、東京でずっと仕事を続けるつもりはなかったんですね。いずれは地元に帰って、地元の役に立つことをしたい、と考えていたんです。僕と同じで、故郷の十和田市が好きだったからです。しかしTさんは「いかに地元の人間でも、ＳＥとしてのスキルがあるというだけでは仕事はない」と考えて、東京にいる間に仕事の幅を広げ、人脈も作って、東京から注文を受けられるようにしておこうと計画しました。

最初の就職先で業務システムについては学んだから、もう少し経験を積もうとＷｅｂ制作の会社に転職します。入社時は正直に、いずれ独立して田舎に帰るつもりだが在籍している間はとにかく会社のために頑張りますと伝え、社長もそれを理解したうえで雇ってくれたそうです。

その会社でＷｅｂアプリの制作について経験を積んだTさんは、計画どおり、1年半勤めたあとで個人事業主となって独立します。ただ、このときすぐ地元に帰ったわけではありませんでした。一度帰ったらそのままずっと仕事をしたい、うまくいかないからまた東京に戻るというようなことはしたくないと考えていて、念入りに準備をしようと思ったのです。

経験を積み、地元で起業

独立後は、前職で知り合った人の応援もあって、仕事には恵まれていたというＴさんが帰郷の準備として取り組んだことが２つあります。まず極力対面での打ち合わせを減らし、インターネットや電話を活用するということでした。当時はコロナ禍が広がる前でリモートでの打ち合わせは一般的ではありません。しかも、クライアントもＴさんも同じ都内です。それでもリモートを活用することを提案し、仮に将来、東京と青森に分かれても、抵抗なく打ち合わせができるようにしていきました。

もう一つＴさんが試みたのは、青森県が実施していたＩＴ系人材のＵターン促進のための「青森ＩＴワーク調査モニターツアー」への参加です。このツアーは一週間にわたって青森県に滞在し、県が貸し出すワーキングスペースを使って実際にリモートワークを行い、順調に進むかどうか体験してみるというものです。Ｔさんは東京で進めている仕事を持ち込んで業務環境を確認し、これならやっていけるという確信をもちました。生活はもともと地元の人ですから勝手知ったるもので、最初からなんの問題もありません。

高校を出てからの東京生活が10年を経過し、28歳になった年にＴさんは同郷の出身でやはり東京に出て働いていた女性と結婚して2人で帰郷、その機会に十和田市で会社を立ち上げました。

まず、東京時代の仕事をそのまま十和田市で継続する形でＷｅｂ制作会社としてスタートします。また、地元でもホームページの制作などを中心に仕事を広げていきました。

ＴさんはＵターンして起業した若手経営者として、市の広報誌などで紹介されることも多く、それが誕生まもない会社の存在を地元に告知することにもなりました。また大都市と異なり、街の規模が小さいだけ横のつながりは強く一つの会社で仕事の関係ができると、口コミですぐに横に広がっていったそうです。しかもＴさんはもともと地元に友達が多いので、会社の評判は瞬く間に広まりました。こういうところは地方のいいところだと思います。

そのあとはホームページの制作以外にもＩＴでこういうことはできないかと、業務効率化に関するシステムの導入についての相談もあり、地元の希少なＩＴ企業として少しずつ仕事を増やしていきました。予想したとおり、ＩＴに関連することについてはホームページ制作にとどまらずいろいろな相談が持ちかけられたそうです。

　この業務効率化のためのシステム導入については、僕の会社の得意分野でもありＴさんから相談を受けて手伝うことにしました。僕の会社が営業所を十和田市に置き、社員も送って、業務委託を受ける形で仕事を進めています。

　最初は１人でスタートしたＴさんの会社も、現在は社員５人に拡大しています。全員が地元出身者です。また地元の中学や高校に呼ばれてＩＴ企業の仕事を紹介する講演などもしているそうです。自社への採用という視点ではなく、広く地元でＩＴ人材育成に貢献できればと考えて、積極的に協力しているそうです。

コミュニティづくりも進める

　さらにＴさんは今、ＩＴ事業そのものではありませんが「扉の開かれた拠点づくり」に取り組んでいます。地方都市ならではの安い家賃を利用して、以前飲食店だったところを居抜きで借り、軽食を出しながら誰もが自由に集う場所として開放しています。「人が集まると目的が生まれる」というのがＴさんの口癖です。確かに、まず集まることから仕事は生まれてくるのかもしれません。すぐふらっと集まれるのも、地方のいいところです。

そこは決まった目的のために人が集まる場所ではなくて、なんとなく居心地がいいなと感じる人が自由に使う場所だそうです。Ｗｅｂのデザイナーが県内から集まって勉強会をすることもあれば、なんとなく自分の仕事場にしている人もあり、子ども連れで来て、その子が絵を描いて遊んでいるといったこともあるそうです。

今までなかった場所をつくるというのが目的なので、人によっていろいろな使い方があり、それがこの場所のユニークなキャラクターになっているようです。Ｔさんが学校で講演をしたのも、あるときこの場所に学校の先生が来たことがきっかけだったと聞きました。

Ｔさんはこんな場所をさらに増やしていきたいと考えているそうです。業界に縛られず、誰とでもつながりがもて新しいことを生み出していくＩＴ企業の担い手らしい取り組みだと感じます。

ＩＴエンジニアはどんな業界のどんな職種の人とも話ができ、一緒に今までにないものをつくりあげることができます。地方都市には未来がないようなことが盛んにいわれていますが、ＴさんのようなＩＴエンジニアがＵターンしたときに、そこには地方を見直し、地方を新しくつくっていく人の輪ができあがっていくのではないかと思います。地方の資源はモノでもカネでもなく人です。人がつながると強いんです。そしてＩＴエンジニアは人と人をつなぐハブになれる存在です。なぜなら、１００％の人が関心をもっている分野であり、技術だからです。

Ｔさんはパイオニアとして地方起業の道を拓いた人だから、東京での周到な準備も必要だったと思います。しかし今はＴさんの会社があり、僕の会社の営業所もあります。高校を出て、あるいは短大・大学を出て、すぐにＩＴエンジニアを目指して就職してもらうことができるようになっています。

ＩＴエンジニアは地方のＤＸを可能にして、地方を再生する力をもっています。

ぜひＩＴエンジニアとして自分の未来と地元の未来を切り拓いてください。

おわりに

会社を設立して9年目を迎えました。社員は20人を超え、故郷の十和田市にも営業所を持つことができました。

人口減少と過疎化、少子高齢化に歯止めがかからず、地域社会の衰退、地域の中小企業の経営苦戦が続くなか、地方にこそＩＴの力が必要だと強く思っています。そのためには地方で活躍するＩＴエンジニアが必要です。

ところがＩＴエンジニアを目指す人は、仕事を求めて都会に出ざるを得ない状況があり、地方ではＩＴエンジニアの活躍を見ることもできず、どんな仕事で、何ができるのかという理解も進まないという状況があります。皮肉なことに一番必要としている地方において、ＩＴエンジニアの存在がいちばん遠いものになっているんです。

理系のエリート？　プログラミング言語を自在に操る専門家？

そうじゃないということは、ここまで読んでくれた皆さんにはよく分かっていただけたと思います。何度も言いますが、僕ですらなれたんですから。

ＩＴエンジニアは身近で、いろいろなキャラクターをもった人が挑戦し、それぞれの個性や力を活かして担うことのできる仕事です。果たす役割はとても大きく、稼ぎもいいんです。地方をよみがえらせるＤＸを担うのはＩＴエンジニアです。

十和田市の営業所もこれから大きくしていきます。会社のメンバーの出身地もさまざまなので、社員の出身地ごとに支社を設けたいと思っています。そうすれば、ＩＴの世界で活躍したいと考える地方の若い人が、勉強や仕事の機会を求めて都会に出る必要はなくなります。ＩＴの仕事を、地元でそのまま担えるようになります。

そうやって地方のＩＴ人材が厚くなることが、地元の力で地方を創生するパワーになるのではないかと思うんです。地元の魅力をいちばんよく知っているのは地元の人間です。その地元の人間がＩＴの力をもったら本当に強いと思います。地元でＩＴ——一人でも多くの人が挑戦してくれたらうれしいです。

村岡佑紀（むらおか　ゆうき）

1984年4月9日生まれ、青森県十和田市出身、血液型A型。

株式会社リアルインベントの代表取締役社長および、青森県十和田市企業誘致支援大使を務めている。

青森県十和田市にて工業高校に入学するが、工業系の仕事に違和感を覚え、卒業後、東京のIT系専門学校に入学。卒業後、IT企業に入社しシステムエンジニアとして各企業の案件に携わり、エンジニアとしてのスキルを磨く。

その後あるプロジェクトの管理を任されたとき、プロジェクトマネジメント業務のおもしろさを知る。転職をきっかけにプロジェクトマネジメントのスキルを養い、PMOとして作業管理や人員管理、チームメンバーの稼働時間削減に貢献。

当時の代表に誘われ会社設立に携わったことをきっかけに、1年間の計画期間を経て、2014年、29歳で7人の仲間とともに株式会社リアルインベントを設立。

本書についての
ご意見・ご感想はコチラ

地方で稼ぐ！　ITエンジニアのすすめ

二〇二二年六月三十日　第一刷発行

著　者　村岡佑紀
発行人　久保田貴幸
発行元　株式会社　幻冬舎メディアコンサルティング
〒一五一-〇〇五一　東京都渋谷区千駄ヶ谷四-九-七
電話　〇三-五四一一-六四四〇（編集）
発売元　株式会社　幻冬舎
〒一五一-〇〇五一　東京都渋谷区千駄ヶ谷四-九-七
電話　〇三-五四一一-六二二二（営業）
印刷・製本　中央精版印刷株式会社
装　丁　橋本沙和

検印廃止

Printed in Japan　ISBN 978-4-344-93868-7 C0034
幻冬舎メディアコンサルティングHP　http://www.gentosha-mc.com/